À VOUS DE PARLER

Practice in everyday French conversation

F. Hönle-Grosjean, D. Hönle et K. Mengler
avec E. Landes-Schneider

National Textbook Company
a division of NTC/CONTEMPORARY PUBLISHING GROUP
Lincolnwood, Illinois USA

Note

In the section entitled *Transformer ce texte en dialogue,* italics indicate actions and events important to the course of the dialogue. Italics also mark a change of scene.

Whenever they occur,
→   means: *Compare with*
‡   means: *The opposite of.*

Front cover photograph
© Maxime Clery / Rapho

ISBN: 0-8442-1508-2

This edition first published in 1989 by National Textbook Company,
a division of NTC/Contemporary Publishing Group, Inc.,
4255 West Touhy Avenue,
Lincolnwood (Chicago), Illinois 60646-1975 U.S.A.
©1988 by Ernst Klett.
Printed in Hong Kong.
8 9 0 WKT 9 8 7 6 5 4 3

Table des matières

Preface

A vous de parler is a functional French-language course designed to develop speaking skills at the late intermediate and early advanced levels. This book may be used in a variety of language-learning settings as 1) the principal text in a French conversation class, 2) a text to provide valuable reinforcement of oral skills in a more general French class, or 3) a self-study text for individuals who wish to improve their conversational skills or review their French.

Each of the 12 units in *A vous de parler* focuses on specific language functions of everyday life, for example, using public transportation, work and leisure-time activities, getting around by car. In addition to developing language proficiency, these units also provide significant cultural information about daily life in France. Students will learn, for example, that stamps can be bought at a *café-tabac* in France or that an usher in a French movie theater expects to be tipped. Units are self-contained and can be studied in any order, depending on the interests of students or (when used in conjunction with a general course book) according to the sequence of topics treated in the principal text.

Each of the 12 units guides students in making progressively freer use of unit material. This gradual process is accomplished by means of a three-stage presentation of "situations," as follows:

Stage 1. An introductory dialogue illustrates the language that French people use to express themselves in certain situations. In addition to reading these introductory dialogues, students may also *listen* to them on the cassette tape that accompanies the *A vous de parler* text. The cassette, recorded by native speakers with realistic background effects, allows students to experience, assimilate, and reproduce the rhythms and intonations of French speech.

Stage 2. Using material learned during Stage 1, students are asked to create a dialogue out of a prose passage describing a conversation. In the passage, all explanatory material is in italics, while material to be converted into dialogue is in Roman type. Three units feature (instead of a prose text) an unfinished dialogue to be completed by students.

Stage 3. At this stage, several situations providing the outline or framework of a conversation are described. Students are asked to use the framework to create not only the form, but also the content of a conversation. During this third stage, students will be guided by material presented at Stages 1 and 2, as well as by specific words and expressions suggested for each situation.

Each unit concludes with a list entitled *Expressions et locutions,* which covers the idioms most commonly used in specific contexts. At the end of the book, a list of *Expressions générales* catalogs idioms that are not context-specific and are thus useful in a wide variety of situations.

The Teacher's Guide that accompanies *A vous de parler* for use with this text in classroom settings contains general information about this book, as well as numerous suggestions for role-plays, debates, reports, and discussions that will encourage frequent French-language interaction among students and make the acquisition of oral-language skills an active, stimulating experience.

1. DANS UN MAGASIN

Un hypermarché

Une supérette

1. Etude d'un dialogue

Dans une supérette

Personnages: LE GÉRANT du magasin, M. DURAND *(à la caisse);*
  MME DURAND, sa femme;
  DEUX VENDEUSES;
  PLUSIEURS CLIENTES, dont MME ROBERT et MME BONTEMPS.

MME BONTEMPS *(Elle entre.):* Bonjour, messieurs dames.

LE GÉRANT: Bonjour, Mme Bontemps.

MME BONTEMPS: Eh bien! Il y a du monde, dites-moi!

LE GÉRANT: Que voulez-vous? Les gens savent où aller pour trouver des produits de qualité! *(Il rit.)*

MME BONTEMPS *(Elle a vu une dame qu'elle connaît. Elle va vers elle.):*
  Bonjour, Mme Robert. Comment ça va?

MME ROBERT: Très bien, merci. Et vous, ça va?

MME BONTEMPS: Ça va bien, merci.

MME ROBERT: Dites, on ne vous voit pas souvent chez les commerçants du quartier!

MME BONTEMPS: En général, je fais mes courses au «Mammouth». L'alimentation est moins chère, dans les hypermarchés!
  (Mme Bontemps se sert au libre-service, puis elle va au rayon crémerie, où elle retrouve Mme Robert.)

LA VENDEUSE: C'est à qui, mesdames?

MME ROBERT: Je crois que c'est à moi ... Il me faudrait un morceau de gruyère.

LA VENDEUSE: Comme ça?

MME ROBERT: Non, un peu plus gros ... Voilà, comme ça. Et puis, vous me donnez une part de brie, s'il vous plaît ... Vous avez vu, Mme Bontemps: le lait a encore augmenté! Et le fromage aussi. Décidément, la vie devient de plus en plus chère!

LA VENDEUSE: Voilà votre gruyère et votre brie, Mme Robert. Et avec ça?

MME ROBERT: Un camembert. Mais bien fait, hein! ... Au fait, pendant que j'y pense, est-ce vous avez du beurre en motte?

LA VENDEUSE: Je regrette, je n'en ai plus. J'en aurai mardi.

MME ROBERT: Alors, ce sera tout pour aujourd'hui.

LA VENDEUSE: Tenez, voilà votre camembert.

MME ROBERT: Merci. Combien je vous dois?

LA VENDEUSE: Alors, le camembert coûte 9,20 F. Plus 300 grammes de gruyère à 50 F le kilo: 15 F, 350 grammes de brie à 52 F le kilo: 18,20 F. Ça vous fait 42,40 F au total ... Vous payez à la caisse. *(Mme Robert va à la caisse.)*

LE GÉRANT: 125,15 F, s'il vous plaît. *(Mme Robert lui donne 130 F.)* Vous n'auriez pas 15 centimes?

MME ROBERT: Non. Je n'ai pas de monnaie.

LE GÉRANT *(Il rend la monnaie.)*: Ça ne fait rien ... Voilà. Merci bien, Mme Robert.

MME ROBERT *(A Mme Bontemps)*: Bon, je me dépêche. Il faut encore que je passe à la boulangerie. *(Elle sort du magasin.)* Au revoir, messieurs dames.

LE GÉRANT: Au revoir, Mme Robert.

MME BONTEMPS *(Au rayon charcuterie)*: Je voudrais quatre tranches de jambon et un petit saucisson.

LA VENDEUSE: Bien, madame ... Voilà. Et avec ça?

MME BONTEMPS: Merci, c'est tout. Ça fait combien?

LA VENDEUSE: Ça fait 31 F. Vous payez à la caisse, s'il vous plaît.

(Mme Bontemps va au rayon fruits et légumes.)

MME DURAND: Qu'est-ce qu'il vous fallait, Mme Bontemps?

MME BONTEMPS: Donnez-moi une scarole, s'il vous plaît . . . Les tomates sont à combien?

MME DURAND: 12 F le kilo.

MME BONTEMPS: Bon. Alors, vous m'en mettez une livre . . . A combien est le raisin blanc?

MME DURAND: J'en ai à 13 et à 16 F le kilo.

MME BONTEMPS: Donnez-m'en une livre de chaque. Ce sera tout.

(Mme Bontemps prend ses achats, va à la caisse, paie, puis sort du magasin.)

(Devant la boulangerie, elle rencontre Mme Robert, qui en sort.)

MME ROBERT: Ça y est, j'ai fini mes courses. Je vois que vous avez acheté du raisin. Est-ce qu'il est bon?

MME BONTEMPS: Goûtez. Je trouve qu'il n'y a pas beaucoup de différence entre les deux qualités!

MME ROBERT: Ça me rappelle les fraises que j'ai achetées l'année dernière au marché. J'en vois à 17 et à 20 F le kilo. Je demande au marchand quelle est la différence entre les deux. Et vous savez ce qu'il m'a répondu? «Mais, il n'y en a pas, madame!»

Vocabulaire

une supérette	un petit supermarché
le/la gérant(e) (d'un magasin)	qn qui dirige un magasin qui ne lui appartient pas
un(e) commerçant(e)	qn qui tient un magasin
la caisse	l'endroit où l'on paie
un hypermarché [ɛ̃nipɛrmarʃe]	un très grand supermarché
Mammouth [mamut]	le nom d'une chaîne française d'hypermarchés
l'alimentation *f*	tout ce que l'on mange
le libre-service	*ici:* la partie d'un magasin où l'on peut se servir soi-même
un rayon	*ici:* un stand
la crémerie	les produits à base de lait
une part	un morceau
augmenter	devenir plus cher
décidément	vraiment
un fromage fait	≠ un fromage dur, frais
une motte de beurre	un gros morceau de beurre
au total	en tout
une tranche	un morceau assez mince, coupé dans du jambon, du pain, de la viande, etc.

le saucisson	(Le salami est *un saucisson*.)
une scarole	une salade
une livre	500 grammes
le raisin	le fruit qui sert à faire le vin
un achat	ce que l'on achète
goûter qc	manger ou boire un peu de qc pour voir si c'est bon

une scarole

2. Transformer ce texte en dialogue

Comment s'acheter un casse-croûte

Deux jeunes auto-stoppeurs, un Anglais et un Belge – vous leur donnerez des noms – viennent d'arriver dans une petite ville française. Ils sont partis le matin même de Belgique et se trouvent pour la première fois en France. Il est midi passé et ils veulent s'acheter un casse-croûte.

a) Ils se souviennent tout à coup que c'est dimanche et pensent qu'ils auront sans doute du mal à trouver à manger. *Lorsqu'ils arrivent sur la place de l'église,* ils sont agréablement surpris de découvrir des magasins ouverts. Ils décident de faire des sandwichs. Le Belge achètera du pain et du fromage, l'Anglais du jambon et des fruits.

L'Anglais entre dans la boucherie et demande quatre tranches de jambon. Le boucher regrette: il ne vend pas de charcuterie. Pour acheter du jambon, il faut aller à la charcuterie qui se trouve derrière l'église. Le boucher propose quand même un «bon bifteck» à son client, mais celui-ci refuse poliment et sort du magasin.

b) *Pendant ce temps-là, le Belge attend son tour à la pâtisserie.*
C'est enfin à lui. Il demande à la pâtissière si elle a du pain. Mais la pâtisserie ne fait pas boulangerie, on ne vend que des gâteaux, des gâteaux secs et de la confiserie. Le jeune homme montre des gâteaux et demande leur prix: les «éclairs» sont à 6 F. Il en prend deux. La pâtissière lui demande s'il désire encore autre chose. Il voudrait seulement savoir où il peut trouver du pain. La pâtissière lui explique que la boulangerie se trouve dans la petite rue d'en face. Il paie et sort du magasin. *Quand il arrive devant la boulangerie, elle est déjà fermée.*

En France, les magasins ouvrent généralement à 9 heures (les magasins d'alimentation: boulangeries, boucheries, etc., dès 7 ou 8 heures). Ils ferment de midi ou midi et demi à 14 heures ou 15 heures et sont ouverts ensuite jusqu'à 19 heures ou 19 heures trente (Certains grands magasins ne ferment qu'à 22 heures).

Sans pain ni fromage, il retrouve son camarade et lui dit qu'il n'a que des éclairs. L'Anglais, quant à lui, a juste eu le temps d'acheter du jambon. Ils pensent qu'après tout, des «éclairs au jambon» feront des sandwichs assez originaux.

Vocabulaire

un casse-croûte	un petit repas froid
le matin même	le matin de ce jour-là
midi passé	quelques minutes après midi
sans doute	peut-être
avoir du mal à faire qc	avoir de la difficulté à faire qc
refuser	dire non
poliment	de «poli,e»: qui se conduit bien avec les gens (dit bonjour, dit merci, etc.)
sec, sèche	où il n'y a pas d'eau
des gâteaux secs	des biscuits
la confiserie	les sucreries, p. ex. les bonbons
un «éclair»	un gâteau allongé, plein de crème au chocolat ou au café
sans pain ni fromage	sans pain et sans fromage
quant à lui [kɑ̃talɥi]	en ce qui le concerne

◀ *En France, les magasins sont ouverts pendant toute la journée du samedi. Les boulangeries, boucheries, charcuteries et épiceries sont ouvertes le dimanche matin, mais, en grande partie, restent fermées le lundi. Les autres magasins (sauf les supermarchés, hypermarchés, grands magasins en général) ferment également le lundi.*

3. Inventer des dialogues

a) A la boulangerie

le pain; la baguette; le pain complet; le pain de campagne; le pain de seigle (pain de couleur grise); la brioche (sorte de petit pain rond fait avec de la farine, du beurre, du sucre et des œufs); le croissant; des petits pains
un pain bien cuit (quand le pain est bien cuit, il est foncé); un pain pas trop cuit;
du pain frais ≠ du pain rassis

b) A la crémerie

le lait frais; le lait concentré sucré / non sucré (lait en boîte); le beurre; le fromage; le camembert; le gruyère; le roquefort; le brie; le fromage de chèvre, le chèvre; le yaourt [jaurt] nature/aux fruits/parfumé; le fromage blanc; la crème fraîche (matière grasse du lait dont on fait le beurre); l'œuf *m*
un fromage bien fait/fait/pas trop fait; le pot de crème fraîche; une douzaine d'œufs [dø]; une demi-douzaine d'œufs (six œufs)

c) Chez le marchand de fruits

la pomme; la poire; la cerise; la prune; la fraise; la pêche; l'abricot *m*; la banane; le raisin; l'orange *f*; le citron; le pamplemousse
des fruits verts ≠ des fruits mûrs; des fruits en conserve

d) Dans un magasin de vêtements

vêtements pour dames: la robe; la jupe; le chemisier (vêtement léger que l'on porte avec une jupe ou un pantalon); le tailleur (jupe et veste de même tissu); le manteau; l'imperméable *m* (manteau que l'on porte quand il pleut)
vêtements pour hommes: le pantalon; la veste; le costume, la chemise; la cravate; le pardessus (manteau pour homme)

la mode unisexe: le pull-over (le pull); le short; le jean; le débardeur (pull ou tee-shirt sans manches); le T-shirt ou tee-shirt; le sweat-shirt (le sweat); la chemise; le blouson; la combinaison (l'overall *m*); dans quel coloris?; de quelle couleur?

mettre / essayer un vêtement; aller dans la cabine d'essayage; raccourcir un pantalon (le rendre plus court) ≠ rallonger un pantalon; solder des vêtements (les vendre à un prix plus bas que le prix normal); les soldes *m, plur* (vêtements, tissus, etc. vendus à un prix plus bas que le prix normal); un article est soldé; cette robe vous va bien; ça ne me va pas; c'est trop grand / trop large / trop petit / trop étroit; une robe habillée (une robe élégante); un vêtement sport.

4. Expressions et locutions

faire les / ses courses; faire des achats
aller au supermarché / à la boulangerie / à la crémerie; aller chez le boulanger / chez le coiffeur / chez le dentiste
bonjour, madame / mademoiselle / monsieur / mesdames / mesdemoiselles / messieurs / messieurs dames
il y a du monde dans les magasins ≠ il n'y a personne dans les magasins
il faut attendre son tour; il faut faire la queue; il ne faut pas passer devant les autres
c'est à qui? à qui le tour? – c'est à moi; c'est mon tour
je voudrais ...; il me faudrait ...; (est-ce que) vous avez ...?
à combien est ...? combien coûte ...? c'est combien? quel est le prix de ...? combien je vous dois? ça fait combien? – ça fait dix francs; la viande est à 73 F le kilo
c'est cher; c'est très/trop cher; c'est plus cher que ...
ce n'est pas cher; c'est bon marché; ce n'est vraiment pas cher; c'est moins cher que ...,
les prix ont monté/augmenté ≠ les prix ont baissé/diminué
au fait, pendant que j'y pense ...; il ne faut pas que j'oublie ...
ce sera tout? et avec ça? – ce sera tout
(est-ce que) vous pourriez me donner un sac en plastique? – bien sûr
vous n'auriez pas 20 centimes? – non, je n'ai pas de monnaie
rendre la monnaie à qn

2. OÙ PASSER LA NUIT?

Un palace (le Carlton, à Cannes)

Un hôtel deux étoiles (Bourgogne)

1. Etude d'un dialogue

A l'hôtel

Personnages: La gérante d'un hôtel;
Un garçon de cet hôtel;
Une jeune fille, de nationalité
autrichienne.

La jeune fille *(Elle entre dans le hall de l'hôtel avec une valise.)*: Est-ce que vous
avez une chambre de libre, s'il vous plaît?

La gérante: Je n'ai plus de chambre pour une personne, mais je peux vous
donner un grand lit pour le même prix.

La jeune fille: Ah, je veux bien.

La gérante: C'est pour combien de temps?

La jeune fille: C'est pour une nuit.

La gérante: Vous désirez peut-être une chambre avec salle de bains ou douche?

La jeune fille: Ce serait combien, par nuit, avec douche?

La gérante: 120 F, sans le petit déjeuner.

La jeune fille: Et les chambres sans douche, elles sont à combien?

La gérante: Eh bien, j'en ai une ici qui fait 96 F ...

La jeune fille: Elle donne sur la rue?

La gérante: Non, sur la cour.

La jeune fille: Vous pourriez me la montrer, s'il vous plaît?

La gérante: Bien sûr. *(Elle monte au deuxième étage avec la jeune fille et lui montre
la chambre.)* Voilà. Vous avez un lavabo avec eau chaude et eau froide. Les
toilettes sont au fond du couloir.

La jeune fille: Bon. Eh bien, je la
prends.

La gérante: Très bien ... Euh, vous
êtes étrangère, n'est-ce pas?

La jeune fille: Oui. Je suis Autrichienne.

La gérante: Alors, il va falloir que
vous remplissiez une fiche.
Venez, nous allons redescendre à la

```
┌─────────────────────────────────────────────┐
│  FICHE        │                               │
│  D'ÉTRANGER   │                               │
│  —            │                               │
│               │                               │
│  Chambre n° ..........│                       │
├───────────────┴───────────────────────────────│
│       Ecrire en majuscules.   (In block letters.)│
│                                               │
│  NOM .................................................................│
│  (Name)                                       │
│  Prénom  ............................................................│
│  (Christian name)                             │
│  Date de naissance  ..........................................│
│  (Date of birth)                              │
│  Lieu de naissance  ...........................................│
│  (Place of birth)                             │
│  Domicile habituel  ...........................................│
│  (Permanent address)                          │
│  Profession  .......................................................│
│  (Occupation)                                 │
│                                               │
│  Nationalité ....  ┌──────────────────────────┐│
│  (Nationality)     └──────────────────────────┘│
│  Date d'entrée en France ..................................│
│  (Date of arrival in France)                  │
│  Date probable de sortie ................................│
│  (Probable date of your way out)··           │
│                                               │
│         Signature ..............................................│
│  Nombre d'enfants de moins de 15 ans ┌───────┐│
│   accompagnant le voyageur .........  │       ││
│  (Accompanying children under 15)     └───────┘│
└─────────────────────────────────────────────┘
```

réception. *(Dans le hall, elle donne la fiche d'hôtel à la jeune fille, qui la remplit et la signe.).* Merci, mademoiselle.

LA JEUNE FILLE: Est-ce que je pourrais régler ma note tout de suite, s'il vous plaît? Il faut que je parte très tôt, demain matin.

LA GÉRANTE: C'est comme vous voulez. Vous pouvez aussi payer demain matin. Il y aura quelqu'un à la réception.

LA JEUNE FILLE: Je préfère payer maintenant.

LA GÉRANTE: Vous prendrez un petit déjeuner?

LA JEUNE FILLE: Oui ... Est-ce qu'on pourra me l'apporter à 7 heures dans ma chambre?

LA GÉRANTE: Bien entendu ... Bon. Alors, une chambre à 96 F, et 20 F de petit déjeuner: ça vous fait 116 F.

LA JEUNE FILLE *(Elle paie.)*: Tenez. Voilà, madame.

LA GÉRANTE: Merci, mademoiselle. Voilà votre clé; c'est le 15. Le jeune homme va vous monter votre valise.

LA JEUNE FILLE *(Elle monte avec le garçon.)*: Il n'y a pas d'ascenseur?

LE GARÇON: Si. Mais il est en panne ... Au fait, si vous voulez sortir ce soir, vous pouvez demander une clé à la réception. L'hôtel ferme à minuit.

LA JEUNE FILLE: Très bien.

(Ils arrivent dans la chambre. La jeune fille remercie le garçon, mais celui-ci ne part pas. La jeune fille rougit, puis prend son sac à main et donne un pourboire au garçon.)

LE GARÇON: Merci, mademoiselle.

LA JEUNE FILLE: De rien, monsieur.

Vocabulaire

le/la gérant(e) (d'un hôtel)	qn qui dirige un hôtel qui ne lui appartient pas
le même prix	≠ un prix différent
un lavabo	dans les toilettes ou dans une salle de bains: là où l'on se lave les mains
un couloir	un corridor
au fond du couloir	au bout du couloir
un(e) étranger,-ère	qn qui est d'un autre pays que le nôtre
remplir (un formulaire)	écrire son nom, son prénom, etc. sur un formulaire
une fiche d'hôtel	ce que les étrangers doivent remplir, en France, lorsqu'ils couchent à l'hôtel
régler qc	payer qc
une note d'hôtel	ce que l'on doit payer quand on couche à l'hôtel
bien entendu	bien sûr

2. Transformer ce texte en dialogue

Dans une auberge de jeunesse

Dans une ville du midi de la France, Robert, un jeune étranger, arrive un soir à l'auberge de jeunesse, qui se trouve dans une vieille maison. C'est la première fois qu'il passe la nuit dans une auberge de jeunesse française. Il est accompagné de Claude, un jeune Français qu'il a rencontré dans l'après-midi sur la route. Les deux jeunes gens faisaient de l'auto-stop.

a) Robert demande à Claude s'il est déjà venu dans cette auberge. Celui-ci répond qu'il la connaît bien et l'invite à monter au dortoir, qui se trouve au premier étage. L'étranger lui demande s'il ne faut pas passer d'abord au bureau du père aubergiste. Mais dans cette auberge, il n'y a pas de père aubergiste. Robert est étonné et apprend qu'il y a simplement quelqu'un qui passe le soir pour contrôler les cartes et faire payer.

Claude et Robert vont au dortoir des garçons. Claude y trouve deux lits encore libres. Il laisse son compagnon en choisir un. Comme celui-ci a un sac de couchage, il n'a pas besoin d'en louer un.

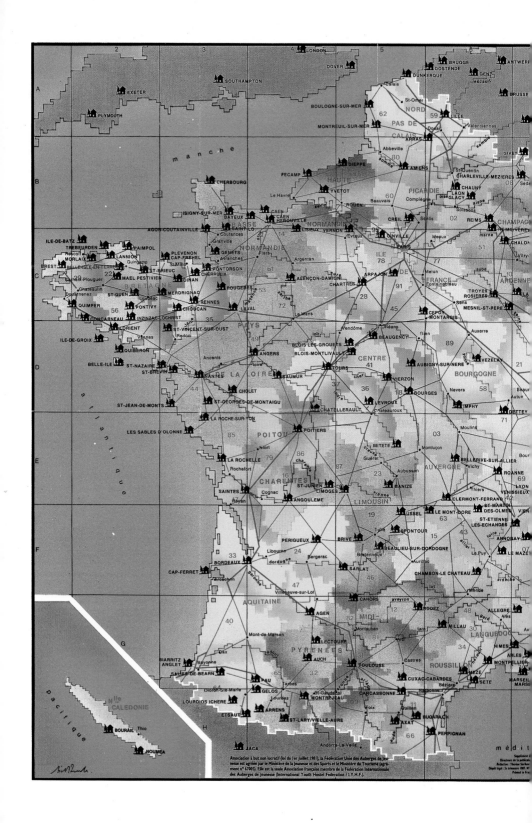

Association à but non lucratif (loi du 1er juillet 1901), la Fédération Unie des Auberges de Jeunesse est agréée par le Ministère de la Jeunesse et des Sports et le Ministère du Tourisme (agrément n° 67005). Elle est la seule Association française membre de la Fédération Internationale des Auberges de Jeunesse (International Youth Hostel Federation / I.Y.H.F.).

GUIDE OFFICIEL
ANNÉE 87/88

YOUTH HOSTELS
JUGENDHERBERGEN

AUBERGES de JEUNESSE
FRANCE

FUAJ

Fédération Unie des Auberges de Jeunesse
6, rue Mesnil - 75116 PARIS
Tél. (1) 45.05.13.14

Les lavabos et les W.C. sont juste à côté du dortoir.

Claude, qui a faim, propose à Robert d'aller manger quelque chose. Robert est d'accord.

b) *Ils se rendent dans la grande salle, au rez-de-chaussée, et s'installent à une table.* Robert a du pain et du jambon, Claude, lui, du pain, du fromage et une grande bouteille de coca. Son compagnon trouve cela très bien.

Quand le repas est terminé, Robert se lève pour aller se coucher. Claude trouve qu'il est encore trop tôt, mais le jeune étranger est fatigué, peut-être à cause de la chaleur. *Il monte au dortoir, se couche et s'endort.*

Tout à coup, Claude le réveille. Robert demande à son compagnon ce qui se passe. Claude lui dit que c'est le contrôle des cartes.

Un jeune homme demande à Robert sa carte d'auberge de jeunesse. Celui-ci la lui donne et doit dire combien de nuits il veut rester. Il restera deux nuits et veut savoir combien on paie par nuit. C'est 26,50 F; cela fait donc 53 F en tout. Robert n'a qu'un billet de 100 F. Le jeune homme lui rend la monnaie en même temps que sa carte et lui souhaite une bonne nuit.

On entend rire et chanter. Robert a l'impression que les autres s'amusent bien en bas. Claude lui dit qu'il en vient et qu'effectivement, il y a pas mal d'ambiance. Il dit ensuite qu'il redescend, puis il demande à son compagnon s'il veut venir avec lui. Mais celui-ci répond qu'il a vraiment sommeil. Claude le rassure: demain, ils feront la grasse matinée; il insiste pour que son compagnon redescende avec lui. Finalement, Robert accepte.

Vocabulaire

le père/la mère aubergiste	la personne qui dirige l'auberge de jeunesse
être étonné,e	être surpris
mon compagnon	mon camarade
un sac de couchage	une sorte de grand sac où l'on dort quand on fait du camping
louer qc	donner de l'argent pour se servir de qc pendant un certain temps
s'endormir	se mettre à dormir
souhaiter qc à qn	espérer que qn aura qc
effectivement	en effet
avoir sommeil *m*	être fatigué, vouloir dormir
rassurer qn	dire qc à qn pour qu'il ne soit plus inquiet
faire la grasse matinée	se lever tard
insister pour que qn fasse qc	dire plusieurs fois à qn de faire qc
finalement	à la fin

3. Inventer un dialogue

Au terrain de camping

Un groupe de jeunes gens fait une excursion à bicyclette. Ils ont emporté des tentes. Le soir, ils entrent dans un terrain de camping et parlent au gardien.

l'excursion *f* (petit voyage que l'on fait pour son plaisir); le gardien (personne dont le métier est de garder p.ex. un jardin public ou un terrain de camping); camper (faire du camping, vivre sous la tente); le campeur; le terrain de camping gardé; le matelas pneumatique; l'eau courante; l'eau potable (eau que l'on peut boire); le transistor; la caravane

faire du camping; faire du camping sauvage (= illégal); faire du caravaning (voyager avec une caravane); monter une tente ≠ démonter une tente; gonfler un matelas pneumatique (le remplir d'air); ne pas mettre le transistor trop fort; payer 17,50 F par personne et 30 F pour l'emplacement (l'emplacement *m*: place occupée par la tente ou par la caravane); le camping municipal; un camping une étoile, deux étoiles, etc.

4. Expressions et locutions

est-ce que vous avez une chambre de libre? est-ce qu'il vous reste une chambre?
    je voudrais une chambre pour la nuit
passer une nuit à l'hôtel
il reste encore des chambres ≠ l'hôtel est complet
la chambre donne sur la rue / sur la cour
c'est combien par nuit?
le service est compris
remplir la fiche d'hôtel
je voudrais régler ma note; est-ce que vous pourriez préparer ma note?
l'ascenseur marche / ne marche pas / est en panne
monter / descendre une valise
est-ce que vous pourriez me réveiller demain matin?
l'hôtel ferme à minuit; l'hôtel est fermé la nuit ≠ l'hôtel reste ouvert toute la
    nuit
l'hôtel fait restaurant ≠ l'hôtel ne fait pas restaurant

3. PRENDRE LE TRAIN, LE MÉTRO ET LE BUS

1. Etude d'un dialogue

A la gare

Personnages: Laurence, jeune employée des P.T.T. qui habite chez ses parents, à Lyon;

Annick, sa cousine, étudiante qui habite Rennes;

Une employée de la S.N.C.F.

Après un séjour de deux semaines, en juillet, sur la côte d'Azur, les deux jeunes filles ont pris le train pour Lyon: Laurence a invité sa cousine à passer chez elle le reste du mois. Elles arrivent en fin d'après-midi à Perrache, une des gares de la ville. Les voici dans le hall de la gare.

Laurence: Tiens! Mon père n'est pas là!

Annick: Il devait venir nous chercher?

Laurence: Oui. Je lui ai écrit pour lui indiquer l'heure d'arrivée de notre train. J'espère qu'il va venir!

Annick: Pendant que tu attends ton père, je pourrais peut-être aller réserver une place pour le 30. Les trains seront sûrement bondés, ce jour-là.

Laurence: Oui. Le 30 juillet, il y a beaucoup de gens qui partent en vacances.

Annick: Bon. Alors, à tout à l'heure!

Laurence: C'est ça. A tout à l'heure!

(Annick va au guichet des réservations et attend son tour.)

L'employée: Mademoiselle?

Annick: Je voudrais aller de Lyon à Rennes, mais j'aimerais voyager de nuit. C'est possible?

L'employée: Quel jour est-ce que vous voulez partir?

Annick: Vendredi prochain. Le 30, donc.

L'employée: Bon, alors pour Rennes, vous avez le Lyon–Bordeaux via Nantes: départ de Lyon 22 heures 15, arrivée à Redon 7 heures 27, correspondance pour Rennes 7 heures 36, arrivée à Rennes 8 heures 15.

Annick: Est-ce que je peux réserver une couchette en seconde?

L'employée: Je peux essayer, mais j'ai bien peur que ce soit trop tard. *(Elle consulte son ordinateur.)* Non, c'est bien ce que je pensais: il n'y a plus de couchettes.

Annick: Qu'est-ce qu'il y a comme train de jour, le 30?

La gare de Perrache, à Lyon   *La gare de Lyon, à Paris*

L'EMPLOYÉE: Vous pouvez prendre le TGV de 7 heures 46. Vous arrivez à Paris-Gare-de-Lyon à 10 heures 10. Là, vous prenez le bus pour la gare Montparnasse. Et, à Montparnasse, vous avez un train pour Rennes à 11 heures 44. Ça vous fait arriver à Rennes à 15 heures.

ANNICK: Bon. Alors, vous me réservez une place dans le TGV et une dans le Paris–Rennes, en seconde, non fumeurs.

L'EMPLOYÉE: Vous voulez un aller simple ou un aller-retour?

ANNICK: Un aller simple.

L'EMPLOYÉE: Bon. Eh bien, on va voir ça. *(Elle consulte de nouveau son ordinateur.)* Cette fois, c'est bon. Vous avez de la chance. Le 30 juillet, c'est le grand départ en vacances!

ANNICK: Combien je vous dois?

L'EMPLOYÉE: Alors, un billet de seconde Lyon–Rennes, une réservation TGV, une réservation Paris–Rennes ... Ça vous fait 422 F.

ANNICK *(Elle lui donne l'argent.)*: Voilà ... Au revoir, madame. Merci beaucoup.

L'EMPLOYÉE: A votre service, mademoiselle.

ANNICK *(Elle rejoint Laurence dans le hall de la gare.)*: Il n'est pas arrivé?

LAURENCE: Non, comme tu peux voir. Décidément, on ne peut plus faire confiance aux parents! ... Et toi, ça a marché? Tu as une place pour le trente?

ANNICK: Oui, mais je vais être obligée de voyager de jour.

LAURENCE: C'est toujours mieux que de voyager debout, la nuit, dans un train bondé! ... Et mon père qui n'arrive pas!

ANNICK: Qu'est-ce qu'on fait?

LAURENCE: On attend encore cinq minutes. Si dans cinq minutes il n'est pas là, on prend le bus. Quand je pense que lui, il ne supporte pas qu'on le fasse attendre! ... Je vais aller acheter «Elle». *(Elle cherche son porte-monnaie. Lorsqu'elle regarde dans la poche de son sac de voyage, elle trouve une lettre.)* La lettre pour mon père! Eh ben, ça alors!

(Annick éclate de rire.)

LAURENCE: Tant pis! ... Allez, viens, on va mettre les bagages à la consigne automatique. Je n'ai pas envie de les porter depuis l'arrêt du bus jusqu'à la maison.

ANNICK: Mais j'aurai besoin de mes affaires, ce soir.

LAURENCE: Ne t'en fais pas. On les aura, les bagages: mon père viendra les chercher!

Vocabulaire

les P.T.T.	les Postes, Télégraphes et Téléphones
la S.N.C.F.	la Société Nationale des Chemins de fer Français
bondé,e	plus que plein
via	par
une correspondance	le train que l'on prend lorsqu'on change
une couchette	une sorte de lit, dans un train
un ordinateur	un computer
le TGV	le Train à Grande Vitesse
(un compartiment) non fumeurs	un compartiment où l'on n'a pas le droit de fumer
décidément	vraiment
faire confiance *f* à qn	penser que qn fait toujours ce qu'il promet
être obligé,e de faire qc	devoir faire qc
supporter qc	tolérer qc
«Elle»	un journal féminin
éclater de rire	rire très fort
Tant pis!	C'est triste, mais c'est ainsi.
les bagages *m, plur*	les valises, les sacs de voyage, etc.
la consigne automatique	l'endroit d'une gare où l'on peut laisser ses bagages
Ne t'en fais pas. *fam*	Ne te fais pas de souci.

Voyagez, bougez, toute l'année! Avec le Carré Jeune SNCF, c'est carrément moins cher.
De 12 à 25 ans, pour 150 F*, 4 voyages à 50 % de réduction en période bleue et 20 % de réduction en période blanche!
Le Carré est valable 1 an en 1re comme en 2e classe sur toutes les lignes de la SNCF (sauf banlieue de Paris). Et vous pouvez en acheter autant que vous voulez! Il faut juste une pièce d'identité. Le Carré Jeune SNCF, l'évasion au Carré!

Voyagez, bougez, tout l'été! Avec la Carte Jeune SNCF, de 12 à 25 ans, pour 150 F*, 50 % de réduction sur tous vos voyages en période bleue!
La Carte est valable du 1er juin au 30 septembre en 1re comme en 2e classe sur toutes les lignes de la SNCF (sauf banlieue de Paris).
En plus, vous avez droit à une couchette gratuite en période bleue, un trajet à moitié prix sur les Chemins de Fer Corses, des prix très intéressants sur les circuits touristiques SNCF, et même un aller-retour à 50 % sur le ferry Dieppe-Newhaven. Il faut juste une pièce d'identité et une photo. La Carte Jeune SNCF, l'évasion à la Carte!

2. Transformer ce texte en dialogue

Dans le métro

Samuel, un étranger qui fait des études de français, se trouve pour la première fois à Paris. Il visite la ville avec François, un Parisien. Les deux jeunes gens sont en train de boire un café à une terrasse près de la place de la République.

a) François se demande ce qu'ils vont faire. *L'étranger regarde son plan de Paris* et voit qu'ils ne sont pas loin du cimetière du Père-Lachaise. Ils se souviennent tous les deux que beaucoup d'hommes célèbres y sont enterrés, par exemple Molière, Musset, Daudet, Chopin et Balzac. Ils décident d'y aller. Comme ils ont déjà beaucoup marché, François propose de prendre le métro. Samuel accepte, mais cette fois-ci, il voudrait essayer de se débrouiller tout seul.

Dans la rue, à l'entrée de la station «République», il s'arrête pour regarder le plan du métro. Après avoir trouvé la ligne, *il descend l'escalier de la station*. Tout à coup, il s'aperçoit qu'il n'a plus de tickets. François lui conseille d'aller en acheter un carnet parce que c'est moins cher. Au guichet, il achète un carnet de seconde, revient et donne un ticket à son compagnon, car celui-ci vient de payer le café.

b) *Ils sont sur le quai. Le train arrive, ils montent*. Samuel aperçoit le plan de la ligne *à l'intérieur de la voiture*. Il le regarde pour voir combien de stations il y a jusqu'au «Père-Lachaise». A sa grande surprise, il ne voit pas cette station. François, lui, n'est pas étonné: Samuel s'est trompé de couloir. Il lui dit de descendre à la station «Belleville».

Une fois sur le quai, il lui montre le plan et lui explique qu'il a pris la direction «Mairie des Lilas» au lieu de «Gallieni». Samuel n'est pas content de ce qu'il a fait. François lui dit de ne pas s'en faire: ils changeront de ligne et prendront la correspondance pour la ligne «Nation» qui passe également par la station «Père-Lachaise». Samuel apprend que l'on peut y aller avec le même ticket. Ça le console un peu. Mais il trouve qu'il vaut quand même mieux ne pas faire de trop grands détours dans le métro, car il y fait très chaud. François est de son avis et lui conseille de ne surtout pas se tromper de couloir aux heures de pointe, quand le métro est bondé.

Vocabulaire

célèbre	très connu
enterrer qn	mettre dans la terre qn qui est mort
se débrouiller *fam*	se tirer d'affaire
s'apercevoir	constater
conseiller à qn de faire qc	dire à qn ce qu'il doit faire
un carnet (de tickets de métro)	10 tickets vendus ensemble (Le ticket d'un carnet est moins cher que le ticket acheté seul.)
mon compagnon	mon camarade
car	parce que
apercevoir	voir
à l'intérieur *m* de	dans
un couloir	*ici:* un passage qui conduit au quai
Ça me console.	Ça me rend moins triste.
il vaut mieux faire qc	il est préférable de faire qc
un détour	un chemin qui n'est pas direct
les heures de pointe *f*	les moments de la journée où il y a le plus de monde ou de circulation

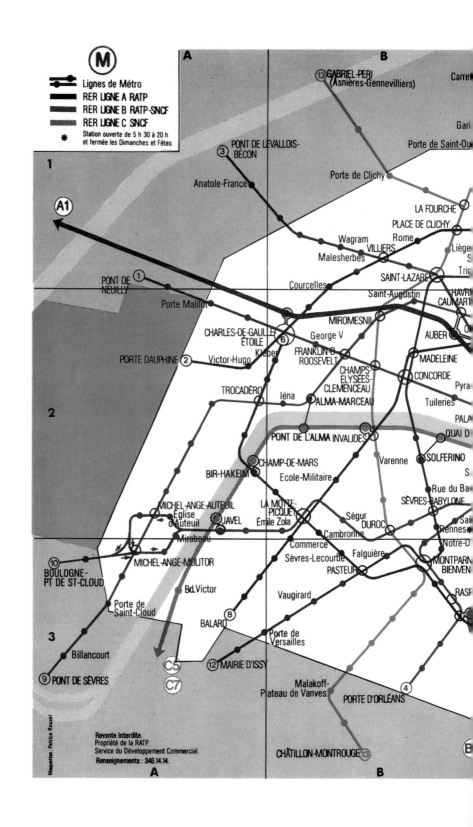

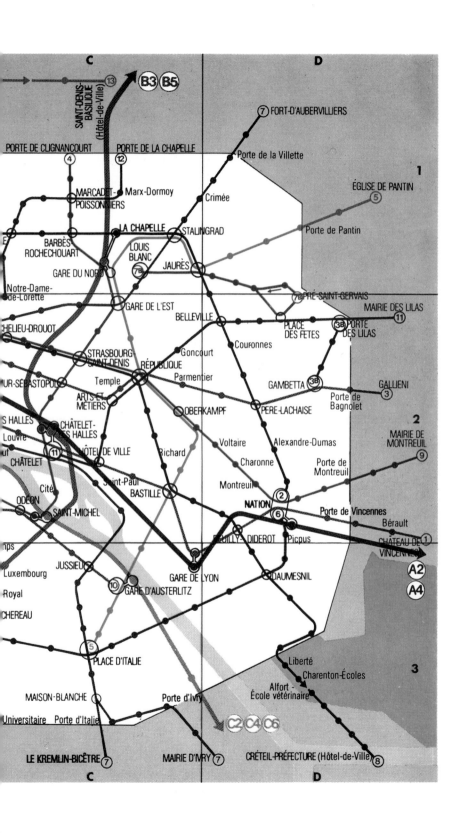

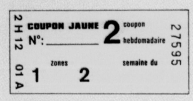

3. Inventer un dialogue

A l'arrêt de bus

Deux messieurs attendent le bus qui les conduit à leur bureau. Il est sept heures trente du matin. L'un d'eux est pressé, car il doit encore changer de ligne.

le bus; la ligne de bus; le conducteur (celui qui conduit une voiture, un bus); le ticket de bus; la carte orange: carte hebdomadaire ou mensuelle qui permet de voyager autant qu'on veut en métro ou en bus (intéressant si l'on reste plus de trois jours et si l'on circule beaucoup); le tarif; le demi-tarif
il faut que je change place de la République; prendre une correspondance boulevard Gambetta; il y a combien de stations jusqu'à ...?

4. Expressions et locutions

prendre le train / le métro / le bus pour ...; prendre le Paris–Bordeaux
aller à Paris par le train
le train en provenance de Bordeaux est annoncé avec un retard de 15 minutes
le train à destination de Paris partira dans 5 minutes
aller en direction de
pour aller de Lyon à Rennes, on passe par Nantes; on change de train à Redon;
à Redon, on prend la correspondance pour Rennes

à quelle heure part le train? – il part à 7 h 30; départ 7 h 30

à quelle heure arrive le train? – il arrive à 10 h 32; arrivée 10 h 32

prendre son billet; je voudrais un billet pour Rennes, en seconde; un aller Rennes, en seconde, s'il vous plaît;

je voudrais un aller-retour Lyon–Rennes, en seconde; un aller-retour Lyon-Rennes, s'il vous plaît

c'est combien, en première?

réserver / louer / retenir une place en seconde / en première; réserver / louer une couchette

composter son billet

monter dans le train / dans le bus ≠ descendre du train / du bus

changer de ligne

se tromper de ligne

est-ce que cette place est libre, s'il vous plaît? est-ce qu'il y a une place de libre? – oui, cette place est libre; oui, il y a encore de la place; ≠ non, cette place est occupée; non, il n'y a plus de place

le métro est bondé aux heures de pointe

arriver à l'heure ≠ arriver en retard; arriver en avance

manquer le train / l'autobus; rater le train / l'autobus

mettre ses bagages à la consigne

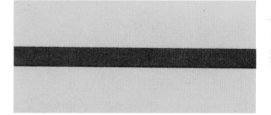

4. BOIRE ET MANGER

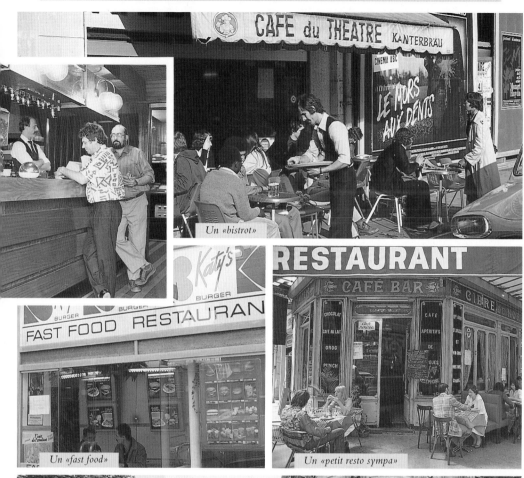

Un «bistrot»

Un «fast food»

Un «petit resto sympa»

Fouquet's: un restaurant de luxe des Champs-Elysées (Paris)

1. Etude d'un dialogue

Au café

Personnages: UN HOMME, 40 ans;
LA PATRONNE d'un café;
DEUX OUVRIERS;
UN AUTRE CLIENT.

*La scène se passe un matin entre neuf et dix heures dans un faubourg ouvrier de Nantes.
L'homme de 40 ans vient de garer sa voiture et entre dans un petit café. Il va au comptoir
où deux hommes en combinaison de travail boivent du vin.*

LA PATRONNE: Monsieur? Qu'est-ce que je vous sers?

L'HOMME: Un café, s'il vous plaît.

LA PATRONNE: Si vous avez cinq minutes, je vous en prépare un à la cuisine: le
percolateur ne marche plus. Ça ira?

LE PREMIER OUVRIER: Vous ne voulez pas goûter le vin du pays, monsieur?

L'HOMME: Vous savez, il y a trois heures que je conduis et un café ne me ferait
pas de mal.

LE PREMIER OUVRIER: Vous boirez votre café après. *(A la patronne:)* Jeanne, sers
un petit blanc à monsieur.

LA PATRONNE: Un blanc. Voilà. *(Elle sert l'homme, remplit les verres des deux
ouvriers, puis se dirige vers la cuisine.)*

LE PREMIER OUVRIER: A votre santé! C'est du muscadet.

L'HOMME: A la vôtre! *(Il boit.)* Il est bon. *(Il sort des cigarettes américaines et en offre
aux autres.)* Vous fumez?

LE PREMIER OUVRIER: Non, merci. Je ne fume pas. Je trouve que c'est très
mauvais pour la santé.

LE DEUXIÈME OUVRIER: Moi, je ne fume que des Gauloises. *(Il sort de sa poche un
paquet de Gauloises, en prend une et donne du feu à l'homme.)* De quelle région
est-ce que vous venez?

L'HOMME: J'habite près de Bordeaux.

LE PREMIER OUVRIER: Il y a du bon vin là-bas. Vous n'habitez pas à Saint-
Emilion, par hasard?

L'HOMME: Non, du côté de Cognac.

LE DEUXIÈME OUVRIER: C'est bon, le bordeaux ... Vous me passez le cendrier,
s'il vous plaît?

L'HOMME *(Il lui passe le cendrier.)*: Je trouve qu'il n'y a rien de tel qu'un bon bordeaux. Je le préfère même au bourgogne. Evidemment, les bons vins sont chers.

LE PREMIER OUVRIER: Tout est cher. *(A la patronne qui revient:)* Dis, Jeanne, j'espère que tu ne vas pas augmenter le blanc cette année!

LA PATRONNE: Ah, celui-là, il n'est jamais content! Vous croyez peut-être que ça nous amuse d'augmenter les prix? Avec tous les impôts, on est bien obligés. Vous savez, dans les petits bistrots, on a du mal à s'en tirer. Vous voulez que je vous dise de combien la bouteille d'apéritif a augmenté pour nous cette année?

LE DEUXIÈME OUVRIER: Allez, ne te fâche pas. Remplis plutôt les verres. Cette fois-ci, c'est moi qui paie la tournée.

L'HOMME: Doucement! *(Mais il n'empêche pas la patronne de remplir son verre.)* Je vais avoir du mal à repartir.

LA PATRONNE *(Elle se dirige vers la cuisine.)*: Je m'occupe de votre café. *(Les ouvriers vident rapidement leurs verres.)*

LE PREMIER OUVRIER: Il faut qu'on retourne au boulot. *(Les deux hommes laissent quelques pièces de monnaie sur le comptoir.)*

LE DEUXIÈME OUVRIER: Au revoir, monsieur. Et bonne route!

LE PREMIER OUVRIER: Au revoir. Vous ne regrettez pas d'avoir pris un petit blanc, hein?

L'HOMME: Au revoir, messieurs, et merci! *(Les ouvriers quittent le café.)*

LA PATRONNE *(Elle revient.)*: Voilà votre café.

L'HOMME: Merci ... Il faudrait aussi que je mange quelque chose. Je n'ai pas eu le temps de déjeuner ce matin. Vous pourriez me préparer un sandwich?

LA PATRONNE: Oui. Vous le voulez au jambon ou au fromage?

L'HOMME: Au jambon, s'il vous plaît.

LA PATRONNE: Bien. Je vous le sers tout de suite. *(Au bout de quelques instants, elle revient avec le sandwich.)* Voilà, monsieur.

(Deux hommes entrent et viennent au comptoir.)

L'UN D'ENTRE EUX: Deux petits blancs, s'il vous plaît.

LA PATRONNE *(Elle sert les deux hommes.)*: Deux petits blancs. Voilà, messieurs.

L'HOMME DE 40 ANS *(Il s'adresse à la patronne.)*: S'il vous plaît! Combien je vous dois?

Vocabulaire

un faubourg	un quartier situé loin du centre-ville
garer sa voiture	mettre sa voiture près du trottoir
le comptoir [kõtwar]	dans un café: le bar
une combinaison de travail	un vêtement de travail d'une seule pièce
un percolateur	une grande machine à café
goûter qc	manger ou boire un peu de qc pour voir si c'est bon
remplir un verre	mettre, p. ex., du vin dans un verre
se diriger vers qc	aller en direction de qc
le muscadet	un vin blanc de la région de Nantes
les Gauloises f	une marque française de cigarettes
Saint-Emilion [sẽtemiljõ]	une petite ville située au nord-ouest de Bordeaux et connue pour ses bons vins
du côté de fam	près de
Cognac	une ville située au nord-ouest de Bordeaux et où l'on fait le cognac
le bordeaux	le vin de la région de Bordeaux
il n'y a rien de tel que	rien n'est aussi bon que
le bourgogne	le vin de Bourgogne
augmenter qc	rendre qc plus cher
les impôts m	les sommes d'argent que l'on doit payer à l'Etat
être obligé,e de faire qc	devoir faire qc
un bistrot [bistro] fam	un café
avoir du mal à faire qc	avoir de la difficulté à faire qc
s'en tirer	se sortir d'une situation difficile; ici: gagner assez pour vivre
augmenter	devenir plus cher
se fâcher	se mettre en colère
plutôt	de préférence
payer une tournée fam	se dit quand qn paie à boire, au café, à tous ceux qui sont avec lui
doux, douce	≠ brutal
Doucement!	ici: N'en mettez pas trop!
vider qc	≠ remplir qc
le boulot [bulo] fam	le travail
un instant	un très petit moment

TARIF DES BOISSONS
servies au Bar ou au Café

édité par le Syndicat Départemental des Hôteliers, Restaurateurs et Débitants de Boissons de l'Ain

9, rue Clavagry   -   BOURG-EN-BRESSE   -   Tél. (74) 21.10.80

+ 30c - service enterrasse -

Imprimeries Réunies de Bourg

BOISSONS ALCOOLISEES	CL	PRIX	BOISSONS SANS ALCOOL	CL	PRIX
Apéritifs	4cl	6,80	1/4 Eau Minérale	25cl	6,50
Apéritifs Anisés	2cl	6,80	1/2 Eau Minérale *venade*	25cl	4,00
Mominette	1cl	3,80	1/1 Eau Minérale	100cl	5,50
Mandarin - Picon	4cl	8,00	1/4 Eau Minérale + Sirop		7,50
Campari - Américano	4cl	8,00	Limonade	100cl	4,50
Martini gin	5cl	8,00	Gini - Schweeps	19cl	8,50
Guignolet Kirsch	5cl	8,00	Bitter - Pibb - Ricqulès		8,50
Porto	6cl	13,00	Pepsi Cola ou Coca Cola	19cl	8,50
Whisky	4cl	20,00	Orangina - Pschitt	25cl	8,50
Baby Whisky	2cl	10,00	Jus de Fruits *AMÉRICAN SW*	20cl	8,50
Vodka	4cl	15,00	Ananas - Pamplemousse	20cl	8,50
Baby Vodka	2cl	8,00	Orange - Citron pressé		9,50
			Lait Grenadine - Fraise	25cl	5,50
			Diabolo Menthe - Citron	25cl	5,50
VINS			**BIERES**		
Carafe blanc	25cl	4,50	1/2 Pression	25cl	5,00
Carafe rouge	25cl	4,50	Bock Pression	20cl	3,80
Carafe blanc cassis	25cl	5,50	1/2 Panaché Pression	25cl	6,00
Verre de rouge	10cl	2,00	Tango - Monaco Pression	25cl	6,00
Verre de blanc	10cl	2,00	Bière bouteille	25cl	6,50
Verre d'Alsace			Bière bouteille *SPATEN*	33cl	10,00
Verre de Beaujolais			Bière spéciale bouteille	24,5	8,00
Verre blanc cassis	10cl	2,30	Bière brune	33cl	8,00
Verre Mâcon			Bière bouteille panachée		6,80
			Bière bouteille Tango		6,80
ALCOOLS			**BOISSONS CHAUDES**		
Rhum	2cl	9,00	Petit déjeuner complet		18,00
Marc	2cl	9,00	Expresso		3,70
Calvados	2cl	9,00	Grand Café noir ou lait		6,70
Cognac ★★★	2cl	12,00	Grand chocolat		6,70
Armagnac ★★★	2cl	12,00	Thé *théière*		7,70
Fernet Branca	2cl	8,00	Infusions diverses		7,70
Arquebuse	2cl	10,00	Grog		8,30
Alcools blancs	2cl	15,00	Viandox		4,00
Liqueurs vertes	2cl	15,00	Vin Chaud		4,00
Liqueurs	2cl	10,00	Croissants		4,00
Crème de Liqueurs	2cl	8,00	Brioches		
			Beurre - Confiture		
Glaces *2 boules*		11,00	Glaces *2 boules*		11,00

SERVICE COMPRIS	PRIX NETS	SERVICE 0 % en plus

BOISSON NON COMPRISE — PRIX NETS — le 28 FEVRIER 1987

50 Frs,00

— HORS d'OEUVRE,

— LIEU MEUNIERE, garni,
ou: COTE de PORC GARNIE

— FROMAGES ou DESSERT.

78 Frs,00

— le PETIT Pâté Chaud,
ou: la Terrine Campagnarde,

— le CONTREFILET ROTI,
ou: le LAPIN au CITRON,

— GRATIN BEAU-RIVAGE.

— F ROMAGES,

— DESSERT.

120 Frs,00

— la TERRINE de LIEVRE,

— le FILET de TRUITE Saumonée aux Amandes,

— le MIGNON de VEAU FORESTIERE,
ou: le FILET de BOEUF au VIN de Cahors,

— la garniture de légumes.

— FROMAGES,

— DESSERT.

MENU ENFANT: 35 Frs,00

— le JAMBON BLANC,

— le STEAK, POMMES FRITES,

— GLACE VANILLE.

eau minérale: 7.00 — café: 4.50 — vin rouge le 1/4: 6.00
tout changement au menu apporte modification de prix.
aucun supplément au titre du service n'est dû par le client.

— couvert enfant: 6.50 —

---

*Michel Sevin vous propose
ses Spécialités Régionales*

*Apéritifs «maison»
Le Kir du Patron
Ratafia de Champagne*

*Salade Délice (queues d'Ecrevisses, foie gras)
Salade de Carpe tiède à la Moutarde
Petite Salade de Cuisses de Grenouilles
Salade tiède de Queues d'Ecrevisses
Salade de Cœurs et Gésiers à ma façon*

*Ragoût de Queues d'Ecrevisses Nantua
Grenouilles sautées comme en Dombes
Feuilleté de Quenelle sauce Nantua
Truite au Bleu beurre fondu au Citron
Blanquette de Carpe à la Péclette*

*Pot au Feu de Bresse
et son Sabayon d'Estragon (2 personnes) par pers.
Volaille de Bresse aux Morilles à la Crème
(2 personnes) par pers.*

*Plateau de Fromages
ou Fromage Blanc à la Crème*

Le Chariot de Desserts

*Les Truites, les Carpes, les Ecrevisses, les Grenouilles
sont de nos viviers.*

**MENU GOURMAND
MENU RÉGIONAL
MENU DE FÊTES
SUGGESTIONS DU MARCHÉ**

Pour votre Etape

HOTEL ★★★

*La Belle Epoque
01200 Bellegarde sur Valserine
Tél. 50.48.14.46*

**Chambre tout confort
Insonorisée - Téléphone direct
Douche - W.C.
Bains - W.C.**

2. Transformer ce texte en dialogue

Au restaurant

Mme Raymond est venue chercher sa fille Martine à la sortie du lycée parisien où elle passe le baccalauréat. Elles entrent dans un restaurant de la Rive gauche et s'installent à une table du premier étage.

a) Un garçon leur donne la carte. Martine n'a pas envie de manger. Mme Raymond sait bien que les examens coupent l'appétit, mais elle veut que sa fille mange quelque chose. Elle lui propose de suivre son exemple et de choisir le troisième menu. Martine accepte et promet de faire un effort.

Le garçon revient et demande si elles ont choisi. Mme Raymond répond qu'elles ont choisi le troisième menu. Parmi les hors-d'œuvre du menu, elle prend les hors-d'œuvre variés, sa fille aussi. Ensuite, le garçon veut savoir ce qu'elles désirent comme viande. Mme Raymond, *qui a la carte sous les yeux,* demande à Martine de choisir entre le coq au vin, l'entrecôte et le steak au poivre. Celle-ci n'a pas d'avis. Le garçon leur recommande le steak au poivre, spécialité de la maison. Malgré un supplément de 12 F, Mme Raymond décide de goûter cette spécialité et propose à sa fille de prendre aussi un steak au poivre. Martine accepte sans grand plaisir. Le garçon leur demande comment elles veulent le steak: saignant, à point ou bien cuit. Elles le veulent saignant. Comme légumes, Mme Raymond commande des «pommes Pont-Neuf» pour voir ce que c'est. Ensuite, elle demande au garçon de leur apporter une demi-bouteille de bordeaux et une carafe d'eau.

b) *Quelques minutes plus tard, le garçon revient avec les hors-d'œuvre et les boissons* et leur souhaite bon appétit. Mme Raymond trouve ces hors-d'œuvre très bons. Martine, elle, est moins enthousiaste. Elle demande à sa mère de lui passer la carafe d'eau.

Le garçon apporte ensuite la viande, les «pommes Pont-Neuf» et la salade. Martine trouve que c'est un bifteck-frites ordinaire, juste avec un peu de sauce, et plus cher qu'ailleurs. *Sa mère goûte la première* et trouve la viande très tendre. Martine elle-même est bientôt obligée de le reconnaître et ajoute que ce steak est vraiment très bien préparé. Les frites aussi sont à leur goût: elles viennent d'êtres faites et n'ont pas été réchauffées. Mme Raymond invite sa fille à arroser la spécialité de la maison.

Un quart d'heure plus tard, le garçon revient avec le plateau de fromages, puis demande à Mme Raymond et à sa fille de choisir leur dessert: tarte aux pommes, glace ou salade de fruits. Toutes les deux se décident pour une salade de fruits. Mme Raymond prie le garçon de lui apporter en même temps l'addition.

Elles prendront le café à une terrasse. Martine se sent tout à fait bien maintenant. Mais est-ce que cela va durer jusqu'à la fin de l'examen?

Vocabulaire

le baccalauréat [bakalɔrea] *fam:* le bac	l'examen de fin d'études au lycée
la rive	le bord d'une rivière ou d'un fleuve
la Rive gauche	à Paris: les quartiers situés sur la rive gauche de la Seine
couper l'appétit *m*	enlever toute envie de manger
faire un effort	employer toutes ses forces pour arriver à un résultat
variés	de différentes sortes
une entrecôte	un morceau de viande de bœuf coupé entre les côtes
le poivre	(Au restaurant, il y a toujours du sel et *du poivre* sur la table.)
recommander qc à qn	dire à qn que qc est bon, lui dire d'en manger
un supplément	ce que l'on paie en plus
saignant,e	→ le sang; se dit de la viande peu cuite, rouge
à point	entre saignant et bien cuit
souhaiter qc à qn	espérer que qn aura qc
ordinaire	normal, banal
ailleurs	≠ ici
tendre	≠ dur
être obligé,e de faire qc	devoir faire qc
Qc est à mon goût.	Qc me plaît, je trouve cela bon.
réchauffer qc	faire cuire qc une deuxième fois
arroser qc	donner de l'eau, aux fleurs p. ex.; *ici:* boire du vin pendant le repas
tout à fait	totalement, complètement

3. Inventer un dialogue

Un repas de midi dans une famille française

Un jeune étranger est venu passer quelques jours à Avignon. Il a fait la connaissance d'un Français de son âge, qui habite dans cette ville. La famille de son nouvel ami l'a invité à déjeuner.

servir qn; se servir; goûter qc; reprendre de qc;
mettre la table / le couvert; s'asseoir / se mettre à côté de qn; ça a l'air bon; ça sent bon; servez-vous, je vous en prie; je vous sers? je n'ai jamais mangé de . . .; c'est la première fois que j'en mange; reprendre de la viande / des légumes; vous reprenez du fromage? – non, merci, vraiment; merci beaucoup pour votre invitation / pour cet excellent repas

4. Expressions et locutions

préparer un café / un repas / un sandwich
prendre un café / un apéritif / un vin blanc; qu'est-ce que vous prenez? qu'est-ce que je vous sers? qu'est-ce que ce sera?
je prends un café / le menu à 65 F; un café / le menu à 65 F, s'il vous plaît! je voudrais un café; je prends le plat du jour
prendre un menu à prix fixe ≠ manger à la carte
qu'est-ce que vous prenez comme viande / comme boisson?
vous le voulez comment, le bifteck? – saignant / à point / bien cuit
un quart / une carafe de vin rouge / de vin ordinaire
goûter le vin du pays
à votre santé! – à la vôtre! / à ta santé! – à la tienne!
apportez-moi l'addition, s'il vous plaît; l'addition, s'il vous plaît!
combien je vous dois? *fam;* ça fait combien, s'il vous plaît?
faire la cuisine
servez-vous! – merci ≠ non, merci beaucoup / non, merci, vraiment
le vin / le bifteck / le café est bon; il est bon, ce vin? comment trouvez-vous ce vin? – il est bon / excellent

c'est quelque chose de bon

(est-ce que) tu aimes le coq au vin? – oui, j'aime assez / bien; oui, j'adore ça ≠
    non, je n'aime pas / je n'aime pas tellement; non, j'ai horreur de ça

le bifteck / le vin est à mon goût

un café ne me ferait pas de mal; le café m'a fait du bien

bon appétit! manger de bon appétit; je n'ai pas d'appétit; le voyage m'a coupé
    l'appétit

j'ai faim / soif ≠ je n'ai pas faim / soif; j'ai une faim de loup, je meurs de faim

vous fumez? vous voulez une cigarette?

vous me passez le cendrier / la carafe d'eau, s'il vous plaît?

5. INVITATIONS ET VISITES

1. Etude d'un dialogue

L'arrivée de la correspondante

Personnages: M. et MME MARCHAND;

LEURS ENFANTS: BERNARD, quinze ans; CATHERINE, dix-sept ans;

LA CORRESPONDANTE ALLEMANDE de CATHERINE, ANNEMARIE WAGNER, âgée de dix-sept ans.

(Celle-ci vient pour la première fois chez Catherine Marchand, dont l'adresse lui a été donnée par une camarade de classe.)

La scène se passe en fin d'après-midi dans l'appartement des Marchand à Châlons-sur-Marne. M. Marchand et Catherine sont allés chercher Annemarie à la gare et arrivent avec elle à la maison.

M. MARCHAND *(à Mme Marchand)*: Nous voilà! Je te présente Annemarie.

ANNEMARIE: Bonjour, madame.

MME MARCHAND: Bonjour, Annemarie. Je suis très heureuse de faire votre connaissance. J'espère que vous avez fait bon voyage?

ANNEMARIE: Il y avait beaucoup de monde dans le train. Heureusement que j'avais une place réservée!

M. MARCHAND: Ne restons pas dans le couloir. *(Il se dirige vers la salle de séjour.)*

MME MARCHAND: Il vaut peut-être mieux qu'Annemarie voie d'abord sa chambre.

M. MARCHAND: Je propose plutôt qu'on boive quelque chose. Vous êtes d'accord, Annemarie?

ANNEMARIE: Oui, le voyage m'a donné soif.

MME MARCHAND: Eh bien, entrons dans la salle de séjour. Bernard va porter vos bagages dans votre chambre. Je vous la montrerai tout à l'heure. *(Ils entrent dans la salle de séjour. Mme Marchand appelle:)* Bernard! *(Il arrive, Mme Marchand fait les présentations.)* C'est Bernard. Voilà Annemarie.

ANNEMARIE: Bonjour, Bernard.

BERNARD: Bonjour. Te voilà enfin arrivée! On ne parlait plus que de toi, ici, depuis quelques jours.

CATHERINE: Oh, arrête, Bernard! Porte plutôt les bagages d'Annemarie dans sa chambre.

BERNARD: A vos ordres, mon adjudant! *(Il sort.)*

MME MARCHAND: Asseyez-vous, s'il vous plaît. Est-ce que vous voulez prendre un café ou plutôt quelque chose de frais?

ANNEMARIE: J'aimerais bien quelque chose de frais.

MME MARCHAND: Un jus de fruit, peut-être?

ANNEMARIE: Oui, je veux bien.

MME MARCHAND: Catherine, tu t'occupes des boissons? Papa et moi, nous prenons également un jus de fruit.

CATHERINE: D'accord, je m'en occupe.

MME MARCHAND *(à Annemarie)*: Tout le monde a admiré vos lettres, vous savez. Elles étaient écrites dans un français impeccable. Mais ce n'est pas étonnant, quand on vous entend parler.

ANNEMARIE: Merci. Je ne me débrouille pas trop mal en français au lycée. Mais j'ai encore beaucoup de progrès à faire.

MME MARCHAND: Vous êtes bien trop modeste. Vous parlez vraiment bien le français. Vous en faites depuis longtemps?

ANNEMARIE: C'est ma sixième année.

M. MARCHAND: Mais ce n'est pas la première fois que vous venez en France?

ANNEMARIE: Je suis allée à Versailles l'année dernière avec un groupe d'élèves. J'ai passé trois semaines dans une famille. La ville où j'habite est jumelée avec Versailles.

CATHERINE *(Elle arrive avec les boissons.)*: Voilà de quoi boire. Qu'est-ce que tu prends, Annemarie? Il y a du jus d'orange et du jus de pamplemousse.

ANNEMARIE: Pamplemousse, s'il te plaît. *(Catherine remplit son verre et le lui donne.)* Merci. *(Annemarie s'adresse à Mme Marchand:)* Je vous ai apporté un petit cadeau. *(Elle sort de son sac un paquet joliment enveloppé et le donne à Mme Marchand.)*

MME MARCHAND: Mais il ne fallait pas! Vous êtes vraiment trop gentille.

ANNEMARIE: Ce n'est pas grand-chose, vous savez.

MME MARCHAND *(après avoir enlevé le papier)*: C'est ça que vous appelez «pas grand-chose»? *(A son mari:)* Henri, regarde. Une grosse boîte de chocolats.

M. MARCHAND: Hum! j'ai l'impression que ça doit être bon. Est-ce que je peux me charger de surveiller cette boîte?

MME MARCHAND: Je n'ai pas grande confiance en toi. Et puis, il faut que tu fasses attention à ton foie, tu sais.

(A ce moment-là, Bernard entre dans la pièce.)

BERNARD: Maman, je vais voir Hervé. J'ai rendez-vous avec lui à six heures.

MME MARCHAND: N'oublie pas de rentrer à l'heure. Nous mangeons à huit heures.

BERNARD: D'accord. Au revoir, tout le monde!

ANNEMARIE *(à Catherine)*: J'ai aussi quelque chose pour toi. Comme je sais que tu adores la musique, je t'ai apporté un disque. *(Elle se lève et tend son cadeau à Catherine.)*

CATHERINE: Merci. Je vais tout de suite regarder ce que c'est.

(Annemarie se rassied, veut prendre son verre et fait un geste maladroit: le contenu du verre se répand sur la table.)

ANNEMARIE: Oh, que je suis maladroite! Excusez-moi, madame. Ça ne commence pas très bien.

MME MARCHAND: Il n'y a pas de mal, Annemarie. Ne vous en faites pas pour ça.

M. MARCHAND: Si ça commence mal, ça ne peut que bien se terminer. *(Il lui reverse à boire.)* Et puis, il paraît que renverser quelque chose, ça porte bonheur.

CATHERINE: Je trouve que ça ne commence pas si mal que ça. *(Elle montre le disque.)* Merci beaucoup, Annemarie.

Vocabulaire

un(e) correspondant(e)	qn qui m'écrit et à qui j'écris
âgé,e de	qui a l'âge de
un couloir	un corridor
se diriger vers qc	aller en direction de qc
il vaut mieux que	il est préférable que
plutôt	de préférence
les bagages *m, plur*	les sacs de voyage, les valises, etc.
faire les présentations *f, plur*	présenter qn à qn d'autre
On ne parlait plus que de toi.	On parlait seulement de toi, de personne d'autre.
un adjudant	un sous-officier (le grade au-dessus du sergent)

admirer qc	trouver qc très beau ou très bien
impeccable	parfait, sans fautes
étonnant,e	qui surprend
Je ne me débrouille pas trop mal en français. *fam*	Je suis assez bon/bonne en français.
faire des progrès *m* dans une matière	devenir meilleur(e) élève dans une matière
modeste	se dit de qn qui n'aime pas dire du bien de lui-même
Une ville est jumelée avec une autre.	Les écoles, les clubs de sport, etc. des deux villes font des échanges entre eux.
un pamplemousse	un grape-fruit
remplir un verre	mettre, p. ex., de l'eau ou du jus de fruit dans un verre
envelopper qc	mettre qc dans du papier
se charger de faire qc	s'occuper de faire qc
surveiller qc	garder qc, faire attention à qc
avoir confiance *f* en qn	savoir qu'on peut compter sur qn
le foie	un des organes de la digestion
adorer qc	aimer beaucoup qc
tendre qc à qn	donner qc à qn
maladroit,e	qui se sert mal de ses mains
le contenu d'un verre	ce qu'il y a dans un verre
se répandre sur qc	couler sur qc
Il n'y a pas de mal.	Ce n'est pas grave.
Ne vous en faites pas. *fam*	Ne vous faites pas de souci.
il paraît que	on dit que, on raconte que
renverser qc	faire tomber qc

2. Transformer ce texte en dialogue

Une invitation

M. Lefèvre sonne chez M. Tellier, un collègue qui est ingénieur dans la même usine que lui. M. Tellier l'a invité à venir dîner avec sa femme.

a) *Les Lefèvre arrivent en retard.* M. Lefèvre prie M. Tellier, qui vient ouvrir la porte, d'excuser ce retard: il a été retenu à l'usine. M. Tellier répond que cela n'a pas d'importance. M. Lefèvre lui présente sa femme. M. Tellier est enchanté de faire la connaissance de Mme Lefèvre. Il les conduit au salon, puis

TF1

06.45 BONJOUR LA FRANCE
08.25 Série : HUIT CA SUFFIT ! (16•40).
08.50 BONJOUR LA FRANCE (Suite)
09.00 FLASH-INFOS
09.05 L'UNE DE MIEL
10.00 LE MAGAZINE DE L'OBJET
10.30 L'UNE DE MIEL (Suite)
10.35 L'AFFAIRE EST DANS LE SAC
11.00 PARCOURS D'ENFER
11.25 L'UNE DE MIEL (Suite)
11.30 Feuilleton : ISAURA (16•40)
12.00 FLASH-INFOS
12.02 TOURNEZ...MANEGE
12.30 MIDI TRENTE
12.35 TOURNEZ...MANEGE (Suite)
13.00 JOURNAL DE LA UNE
13.30 LA BOURSE
13.35 Feuilleton : HAINE ET PASSIONS (36)
14.20 Feuilleton : C'EST DEJA DEMAIN (36)
14.45 LA CHANCE AUX CHANSONS
15.15 Téléfilm : BEL AMI (1•3). D'après l'oeuvre de Guy de Maupassant.
16.45 CLUB DOROTHEE
17.00 PANIQUE SUR LE 16
17.55 FLASH-INFOS
18.00 Série : MANNIX (28•56).
19.00 Feuilleton : SANTA BARBARA (447)
19.30 Jeu : LA ROUE DE LA FORTUNE
20.00 JOURNAL DE LA UNE
20.25 METEO
20.28 Jeu : TAPIS VERT
20.30 Cinéma : **SOUVENIRS, SOUVENIRS.** Un film d'Alain Zeitoun (1984). Durée : 120 mn. Avec : Christophe Malavoy, Pierre-Loup Rajot, Gabrielle Lazure.
22.40 MEDIATIONS. LE DOSSIER MEDICAL
23.40 UNE DERNIERE
23.55 LA BOURSE
00.00 PERMISSION DE MINUIT

A2

06.45 TELEMATIN
08.30 MATIN BONHEUR
08.35 Feuilleton : JEUNES DOCTEURS (338)
09.05 MATIN BONHEUR (suite)
10.00 FLASH INFO
10.05 MATIN BONHEUR (suite)
11.00 FLASH INFO
11.05 MATIN BONHEUR (suite)
11.25 Série : BRIGADE CRIMINELLE.
11.55 METEO
12.00 FLASH INFO
12.05 L'ACADEMIE DES NEUF
12.30 TITRES DU 13.00
12.35 L'ACADEMIE DES NEUF (suite)
13.00 EDITION DE 13.00
13.45 DOMICILE A2
13.50 Feuilleton : A L'EST D'EDEN (3)
14.45 DOMICILE A2 (suite)
15.00 DOMICILE A2 (suite)
15.30 Feuilleton : RUE CARNOT (150)
15.45 DOMICILE A2 (suite)
16.00 FLASH INFO
16.05 DOMICILE A2 (suite)
17.15 RECRE A2
17.55 FLASH INFO
18.00 Série : MA SORCIERE BIEN AIMEE
18.25 DES CHIFFRES ET DES LETTRES
18.50 1 DB DE PLUS
19.10 I.N.C.
19.15 ACTUALITES REGIONALES
19.40 LE BON MOT
20.00 EDITION DE 20.00
20.30 Téléfilm : **PATTES DE VELOURS.** De Nelly Kaplan. Avec : Pierre Arditi, Michel Bouquet, Bernadette Lafont. L'existence aurait pu se dérouler très agréablement pour Paul-Emile Julien Poltergeist.
22.05 30 ANS DE TELEVISION. 30 ANS DE VIE DE COUPLE, VIE DE FAMILLE.
23.25 STROPHES.
23.45 24 H SUR LA 2
00.15 BRIGADE CRIMINELLE

FR3

11.45 ESPACE 3.
12.00 EMISSIONS REGIONALES.
12.55 FLASH INFOS.
13.00 Jeu : ASTRO MATCH.
13.30 LA VIE A PLEIN TEMPS.
14.00 Série : CELEBRITY (2•6)
15.00 FLASH INFOS.
15.05 Documentaire : HISTOIRE ET PASSION : Le père Alexandre (Redif).
16.00 MODES D'EMPLOI
17.00 FLASH INFOS
17.05 Série : NE MANGEZ PAS LES MARGUERITES (10•58).
17.30 AMUSE 3
18.30 Feuilleton : LA LIBERTE STEPHANIE (11•30).
19.00 19•20 INFORMATION
19.15 ACTUALITES REGIONALES
19.35 19•20 INFORMATION (Suite).
19.55 Dessin animé : IL ETAIT UNE FOIS LA VIE
20.05 LA CLASSE. Invité : Impact sur la Banane
20.35 Cinéma : **SEPT MORTS SUR ORDONNANCE.** Film de Jacques Rouffio (1975). Durée : 103 mn. Avec : Michel Piccoli, Gérard Depardieu, Jane Birkin. Deux hommes, chirurgiens, différents en tous points, subissent, à sept ans de distance, dans la même ville de province le même chantage et la même répression venant d'un petit groupe de chirurgiens et de médecins en place qui voient d'un mauvais oeil ces nouveaux venus, surtout si ils sont très bons dans leur catégorie...
22.25 SOIR 3
22.50 Magazine : OCEANIQUES...DES IDEES : Aimé Césaire, le masque des mots.
22.40 MUSIQUES, MUSIQUE
23.55 HOCKEY SUR GLACE. Depuis le Palais Omnisport de Bercy

C+

07.00 MAX HEADROOM.
07.25 LE PIAF.
07.30 CABOU CADIN
07.50 Dessin animé : CHARLY LE COQ.
08.25 Série : LARRY ET BALKI (1).
08.50 Dessin animé : CHARLY LE COQ.
09.05 Cinéma : **LA VALLEE DE LA MORT.** Film d'horreur américain de Dick Richards (1981). Durée : 85 mn.
10.25 FLASH INFOS
10.35 Cinéma : **DOUBLE MESSIEURS.** Comédie dramatique française de Jean-François Stevenin (1985). Durée : 89 mn.
12.00 CABOU CADIN.
12.30 DIRECT.
14.00 Téléfilm : PERDUS DANS LA VILLE. De Michaël Pressman (1985). Durée : 86 mn.
15.25 THERION STRATAGEME. Galapagos (2).
15.50 LES SUPERSTARS DU CATCH.
16.45 Cinéma : **NUIT D'IVRESSE.** Comédie française de Bernard Nauer (1986). Durée : 16 mn.
18.15 FLASH INFOS - 18.20 MYTHOFOLIES - 18.25 LE PAIF - 18.30 TOP 50 - 19.30 STARQUIZZ - 19.20 C'EST NULLE PART AILLEURS.
20.30 Cinéma : **SAUVEZ LE NEPTUNE.** Film catastrophe Américain de David Greene (1976). Durée : 107 mn.
22.15 FLASH INFOS.
22.20 CANAL FOOT.
22.50 LES DRIVES DE CANAL +
23.50 FOOTBALL AMERICAIN.
01.00 Cinéma : **CORPS ET BIENS.** Film dramatique américain de Benoît Jacquot (1986). Durée : 94 mn. Avec : Dominique Sanda, Lambert Wilson, Danielle Darrieux.
02.35 Série : LES MONSTRES (60).

EMISSIONS EN CLAIR

LA 5

07.00 Dessin animé : LE MAGICIEN D'OZ.
07.25 Dessin animé : CHARLOTTE
07.50 Dessin animé : EMI MAGIQUE
08.15 Dessin animé : ROBOTECH
08.40 Feuilleton : MARISOL (105)
09.05 Série : LES EVASIONS CELEBRES (Redif)
10.10 Série : LES 5 DERNIERES MINUTES
11.40 Série : HOTEL
12.30 JOURNAL MAGAZINE
13.00 JOURNAL
13.30 VIVE LA TELE
13.35 Série : LES SAINTES CHERIES
14.00 VIVE LA TELE
14.10 Série : ARSENE LUPIN
15.10 VIVE LA TELE
15.20 Feuilleton : LA GRANDE VALLEE (29)
16.20 VIVE LA TELE
16.30 Série : MAX LA MENACE
16.50 VIVE LA TELE
16.55 Dessin animé : LE MAGICIEN D'OZ
17.20 Dessin animé : DANS LES ALPES AVEC ANNETTE
17.50 Dessin animé : JEANNE ET SERGE
18.10 Série : RIPTIDE
19.00 LA PORTE MAGIQUE
19.30 5 RUE DU THEATRE
20.00 JOURNAL
20.30 Cinéma : **LE CHASSEUR DE CHEZ MAXIM'S.** Un film de Claude Vitel. Avec : Sabine Azéma, Michel Galabru.
22.05 Série : MATLOCK
22.55 Série : L'HOMME A L'ORCHIDEE
23.45 Série : MAX LA MENACE (Redif)
00.00 Feuilleton : LES CHEVALIERS DU CIEL (21) (Redif).
00.40 Feuilleton : LE TEMPS DES COPAINS (41 et 42) (Redif)
01.05 Série : LES CINQ DERNIERES MINUTES (Redif)

M6

10.00 CLIP DES CLIPS.
10.05 Série : MARCUS WELBY
10.55 CLIP COEUR
11.35 HIT HIT HIT HOURRA
11.45 GRAFFI'6
12.15 VOYONS CA, ENSEMBLE.
12.30 M6 PANORAMA
12.55 METEO 6
13.00 Série : CHEZ ONCLE BILL (Redif)
13.30 CHANSONS AMOUR, CHANSONS TOUJOURS.
14.00 COTE CORPS, COTE COEUR.
14.30 Série : MARCUS WELBY (Redif).
15.20 ALBUM D'IMAGES (Redif)
15.50 CLIP COMBAT
15.55 HIT HIT HIT HOURRA
17.05 Série : HAWAI POLICE D'ETAT
18.00 JOURNAL
18.15 METEO 6
18.20 Série : LA PETITE MAISON DANS LA PRAIRIE
19.05 Série : CHER ONCLE BILL
19.30 Série : DAKTARI
20.25 6 MINUTES.
20.30 FILM A LA CARTE. Choix entre deux films. En faisant le 36.15 code PL
20.35 Cinéma : **ORCA.** Un film de Michaël Anderson (1978). Durée : 95 mn. Avec : Charlotte Rampling, Richard Harris, Will Samson.

OU

20.35 Cinéma : **MIMI METALLO BLESSE DANS SON ORGUEIL.** Un film de Lina Wertmuller (1973). Durée : 115 mn. Avec : Giancarlo Giannini, Agostina Belli, Turi Ferro.
22.10 OU 22.30 Série : BRIGADE DE NUIT
23.00 OU 23.20 JOURNAL
23.10 OU 23.30 METEO6
23.15 OU 23.35 CLUB 6.
00.00 OU 00.20 25 IMAGES•SECONDE.
00.30 OU 00.50 BOULEVARD DES CLIPS
01.40 CLIP DES CLIPS.

Spécial fifties

Le regard bleu de Lazure

A la télévision, ce soir

Antenne 2 propose à 22 h 00 le 6e volet de son émission **30 ans de télévision** consacrée ce soir à l'évolution des rapports homme-femme et parents-enfants durant ces trente dernières années. Quels discours, quels regards la télévision a-t-elle portés sur ces changements, sur les nouvelles lois qui ont marqué cette période : contraception, majorité à 18 ans, divorce, avortement... Archives commentées par Françoise Lévy.

se charge des présentations. Les Lefèvre font la connaissance de Mme Tellier, à qui Mme Lefèvre donne un petit cadeau pour les enfants; c'est une boîte de bonbons. Mme Tellier la remercie. Les Lefèvre font également la connaissance d'un autre couple, M. et Mme Taylor qui sont Anglais. M. Lefèvre leur demande s'ils sont en vacances en France et apprend qu'ils sont juste venus passer quelques jours chez M. et Mme Tellier. M. Taylor est un vieil ami de M. Tellier.

La maîtresse de maison entre avec des biscuits salés et des verres. Son mari sert l'apéritif aux invités: il y a du whisky, du porto et du Pernod. Mme Lefèvre et Mme Tellier prennent un porto, Mme Taylor un peu de whisky sans eau, les messieurs du whisky ou du Pernod.

b) Un moment plus tard, M. Tellier annonce qu'il y a à la télévison une émission intéressante sur l'industrie aux Etats-Unis. Il demande à ses invités s'ils seraient d'accord pour la regarder. M. Taylor s'intéresse à ce sujet, tandis que Mme Tellier se demande s'il ne vaudrait pas mieux causer tranquillement. M. Lefèvre, quant à lui, aime bien regarder la télévision de temps en temps.

Une fois que M. Tellier a allumé le poste de télévison, Mme Tellier demande à Mme Lefèvre ce qu'elle pense de la télévision. Celle-ci avoue ne pas la regarder beaucoup; elle préfère sortir avec son mari. Mme Tellier apprend que les Lefèvre n'ont pas d'enfants. Elle regrette, quant à elle, de ne presque plus sortir avec son mari. Elle explique à Mme Lefèvre que non seulement les enfants, mais aussi son mari en sont la cause. Mme Lefèvre est étonnée, et Mme Tellier ajoute que son mari passe pratiquement toutes ses soirées devant la télévision.

Elle s'excuse auprès de Mme Lefèvre, se lève et prie ses invités et son mari de passer à table. M. Tellier préférerait attendre la fin de l'émission, mais sa femme insiste: elle ne tient pas à servir des plats refroidis à ses invités.

Vocabulaire

être retenu,e	devoir rester plus longtemps que prévu
être enchanté,e de faire qc	être très heureux de faire qc
un couple	un homme et une femme
la maîtresse de maison	la femme, dans un couple qui reçoit des invités
salé,e	→ le sel
le Pernod [pɛrno]	une marque de pastis
annoncer qc à qn	dire à qn une chose qu'il ne sait pas encore
une émission	ce que l'on regarde à la télévision ou que l'on écoute à la radio

causer	parler, discuter
tranquillement	calmement
quant à lui	en ce qui le concerne
une fois que	après que
allumer la télé/la radio	mettre la télé/la radio
avouer qc	dire qc, reconnaître qc
étonné,e	surpris
passer à table	se mettre à table
insister	dire plusieurs fois à qn de faire qc
je ne tiens pas à faire qc	je n'ai pas envie de faire qc
refroidi,e	devenu froid

3. Inventer un dialogue

Une surprise-partie

Une jeune fille de dix-sept ans a invité ses copains et ses copines à une boum chez elle.

une surprise-partie / une boum *fam* / une fête; une chaîne (hifi/stéréo); un lecteur de cassettes; un électrophone; un amplificateur / un ampli *fam;* le tuner; les enceintes *f* / les baffles *m;* la platine; la platine à cassettes
un disque; la pochette du disque; un album; les paroles; la musique; le titre
un groupe de rock; une tournée; le répertoire; interpréter un morceau; une chanson; un tube *fam*
le saxophone / le saxo / le sax *fam;* le synthétiseur / le synthé *fam;* la guitare (électrique); la basse; la batterie
le saxophoniste; le guitariste; le bassiste; le batteur
le rock; le disco; la musique pop; le soul; le folk; le jazz [dʒaz]
mettre un disque / une cassette; mettre / allumer / ouvrir la radio ≠ arrêter / éteindre / fermer la radio; chercher / prendre un poste; les radios nationales: France-Inter, France-Musique, France-Culture; les radios périphériques: Europe 1, Radio-Télé-Luxembourg (R.T.L.), Radio-Monte-Carlo (R.M.C.); les radios libres (radios locales); la modulation de fréquence
on danse? / tu veux danser? / tu viens danser? – d'accord / o.k.; non, merci, je n'ai pas envie; je ne danse pas bien; je ne sais pas danser

c'était vachement sympa, cette boum *fam*; la musique était bonne; on s'est bien
  amusé(e)s / marré(e)s *fam*; ça m'a drôlement plu *fam*; l'ambiance était super /
  très chouette *fam*
je me suis ennuyé,e / embêté,e *fam;* il n'y avait pas d'ambiance; ce n'était pas
  drôle / marrant *fam*

4. Expressions et locutions

avoir rendez-vous avec qn; donner rendez-vous à qn quelque part
inviter qn à déjeuner / à dîner
il faut / faudrait que vous veniez nous voir un de ces soirs / un des ces jours –
  avec plaisir
excusez-moi d'être en retard – je vous en prie, ça n'a pas d'importance
comment allez-vous / vas-tu? vous allez bien? tu vas bien? ça va? *fam* – très
  bien, merci; et vous-même? / et toi?
comment va Mme Dupont / M. Dupont / votre frère / vont les enfants?
je vous présente M. Durand; permettez-moi de vous présenter M. Durand; –
  enchanté / (je suis) enchanté de faire votre connaissance / je suis très heureux
  de faire votre connaissance
je vous ai apporté un petit cadeau
c'est très gentil à vous / à toi; vous êtes vraiment trop gentil
qu'est-ce que vous prenez? qu'est-ce que je vous sers / offre? qu'est-ce que je
  vous sers / offre comme apéritif?
un peu de porto? du whisky? – avec plaisir; volontiers; je veux bien; je prendrais
  volontiers un peu de porto
vous fumez? vous voulez une cigarette? – oui, je veux bien / oui, volontiers ≠
  non, merci, je ne fume pas
si vous voulez bien passer à table, s'il vous plaît!
je suis très heureux de vous avoir vu,e
il faut que je vous quitte; je regrette de ne pas pouvoir rester plus longtemps
je vous remercie de votre invitation

6. LA CIRCULATION EN VILLE

Embouteillage sur les Champs-Elysées

Une contractuelle

Un agent de police

1. Etude d'un dialogue

La circulation dans Paris

Personnages: CLAIRE, une étudiante qui habite Rouen;

ANNE, son amie, qui habite à Paris;

UN PASSANT;

UN AUTOMOBILISTE.

Claire passe quelques jours chez Anne, à Paris. Ce soir, les deux amies vont voir une pièce de théâtre à l'Odéon.

ANNE: Ah, voilà une place pour se garer!

CLAIRE: On y est déjà, à l'Odéon?

ANNE: Non. Il nous reste un petit bout de chemin à faire à pied. Mais il vaut mieux se garer à dix minutes du théâtre plutôt que de tourner autour pendant un quart d'heure sans savoir où stationner.

(Elles descendent de voiture et commencent à marcher.)

> **THEATRE DE L'ODEON, Comédie-Française,** 1, place Paul-Claudel, 43.25.70.32. Loc. de 11h à 18h30 (2 sem. à l'avance jour pour jour).
> Grande salle :
> Relâche jusqu'au 10 nov. inclus.
> Petite salle :
> Soir 18h30 (sauf lun.). Pl. : 44-31 F. Du 27 octobre au 29 novembre inclus :
> *De Jean-Marie Pelaprat, mise en scène de F. Joffo, avec Geneviève BRUNET (Agrippine), Patrice DOZIER (Néron), Bernard LANNEAU (Basilius), Henri POIRIER (Julius Polion) :
> **LE PYROMANE**

CLAIRE: Tu ne mets pas d'argent dans le parcmètre?

ANNE: Non, à cette heure-ci, le stationnement n'est plus payant ... Viens, on va passer par là.

CLAIRE: Il ne faudrait pas qu'on arrive en retard. Il paraît qu'à l'Odéon, le spectacle commence à l'heure.

ANNE *(Elle tourne à droite.):* Il faut prendre cette rue, je crois. *(Elle s'adresse à un passant:)* Pardon, monsieur, pour aller à l'Odéon, c'est bien jusqu'au feu rouge et après à gauche?

LE PASSANT: Oui, mademoiselle, vous tournez à gauche au feu rouge. Ensuite, c'est tout droit.

ANNE: Merci, monsieur *(A Claire:)* On n'est pas en retard, mais on va se dépêcher quand même.

CLAIRE: Moi, j'aurais peur de conduire dans Paris. Il y a tellement de sens interdits. Et puis, dis donc, les gens roulent drôlement vite!

ANNE: Théoriquement, on doit rouler à soixante à l'heure en ville. Mais quand tu fais vraiment du soixante dans Paris, les Parisiens se moquent de toi. Remarque, ça n'avance pas toujours aussi vite que ce soir. Quand, par exemple, on est pris dans un embouteillage ou bien bloqué dans les files qui rentrent à Paris le dimanche soir, on fait plutôt du cent mètres à l'heure!

CLAIRE: Dis donc, il n'y a pas de priorité à droite à Paris?

ANNE: Si.

CLAIRE: Pourtant, tout à l'heure, plusieurs voitures qui venaient de droite t'ont laissée passer.

ANNE: Oui, ça arrive souvent. Beaucoup de gens renoncent à leur priorité quand ils sortent d'une petite rue pour aller sur un grand boulevard. Ils ont peur des bosses.

CLAIRE: Pourtant, il me semble qu'il y a beaucoup de voitures qui ont des bosses.

Un parcmètre (un horodateur)

ANNE: Tu savais que les assurances automobiles sont plus chères à Paris que dans les villes de province?

CLAIRE: Tiens, je ne savais pas!

(Sans chercher de passage pour piétons, elles traversent la rue pour gagner le trottoir d'en face. La nuit tombe, la plupart des conducteurs ont allumé leurs codes. Les jeunes filles sont presque arrivées de l'autre côté, lorsqu'une voiture freine violemment et s'arrête tout près d'elles. Un homme d'une trentaine d'années en descend.)

L'AUTOMOBILISTE: Dites donc! il n'est pas interdit de regarder avant de traverser! Vous croyez peut-être que ça me fait plaisir d'écraser des piétons! Des jeunes filles en plus!

ANNE: Excusez-nous, monsieur! Nous ne vous avions pas vu. Nous sommes vraiment désolées.

L'AUTOMOBILISTE: Vous m'avez fait peur, je vous assure. Heureusement que j'ai de bons réflexes.

55

CLAIRE: Oui, vous avez bien freiné.

L'AUTOMOBILISTE: Enfin, on l'a échappé belle. *(Il réfléchit un peu.)* Dites, pour fêter ça, je vous invite à prendre quelque chose?

ANNE: Non, merci beaucoup, monsieur. Vous êtes très gentil, mais ...

L'AUTOMOBILISTE: Je pourrais peut-être vous conduire quelque part?

ANNE: Nous allons à l'Odéon. Merci beaucoup. Et excusez-nous encore une fois!

(A l'Odéon, la pièce vient de commencer. Elles seront obligées d'attendre la fin du premier acte. Déçues, elles sortent du théâtre pour se promener un peu.)

CLAIRE: Anne, regarde!

ANNE: Oui, qu'est-ce qu'il y a?

CLAIRE: Tu vois ces places libres? Tu aurais pu te garer ici.

ANNE: Zut! si j'avais su ...

Vocabulaire

la circulation	le va-et-vient des voitures, des camions, des bus, etc. dans la rue
se garer	mettre sa voiture près du trottoir
un petit bout de chemin *fam*	une courte distance
il vaut mieux faire qc	il est préférable de faire qc
plutôt que de	au lieu de
stationner	pour une voiture: être arrêtée à un endroit
un parcmètre [parkmɛtr]	un appareil qui indique le temps de stationnement
payant,e	qu'il faut payer
il paraît que	on dit que, on raconte que
le spectacle	*ici:* la pièce de théâtre
un sens interdit	une direction qu'il est interdit de prendre
drôlement *fam*	très, extrêmement
Remarque, ...	En fait, .../ En réalité, ...
avancer	aller en avant; *ici:* rouler
un embouteillage [ɑ̃butɛjaʒ]	le fait que les voitures ne peuvent plus avancer parce qu'il y a trop de circulation
une file de voitures	des voitures qui roulent les unes derrière les autres
la priorité à droite	le fait qu'on doit laisser passer les voitures qui viennent de droite
pourtant	cependant
tout à l'heure	*ici:* il y a peu de temps
renoncer à qc	ne pas profiter de qc
une bosse	ce que l'on voit sur la carrosserie d'une voiture qui a eu un petit accident

56

il me semble que	je trouve que, j'ai l'impression que
une assurance	la garantie de recevoir une somme d'argent en cas d'accident
un piéton	qn qui marche à pied
un passage pour piétons	la partie de la rue que l'on prend pour traverser sans risques
gagner (le trottoir d'en face)	aller jusqu'au trottoir d'en face
un(e) conducteur,-trice	qn qui conduit une voiture
la plupart des conducteurs	la plus grande partie des conducteurs
les codes *m*	les phares d'une voiture, lorsqu'ils donnent peu de lumière
allumer les codes	mettre ses phares en code
freiner	arrêter sa voiture
violemment (*adj.*: violent,e) [vjɔlamɑ̃]	très fort et brusquement
écraser un piéton	rouler sur un piéton avec une voiture
je suis désolé,e	je regrette beaucoup
je vous assure	vous pouvez me croire
l'échapper belle	éviter de peu un danger
être obligé,e de faire qc	devoir faire qc
être déçu,e (*verbe:* décevoir)	être triste parce qu'on n'a pas eu ce qu'on désirait

CODIFICATION NUMÉRIQUE

Ain	01	Gard	30	Orne	61
Aisne	02	Garonne (Haute)	31	Pas-de-Calais	62
Allier	03	Gers	32	Puy-de-Dôme	63
Alpes de Hte Prov.	04	Gironde	33	Pyrénées-Atlant.	64
Alpes (Hautes)	05	Hérault	34	Pyrénées (Hautes)	65
Alpes-Maritimes	06	Ille-et-Vilaine	35	Pyrénées-Orient.	66
Ardèche	07	Indre	36	Rhin (Bas)	67
Ardennes	08	Indre-et-Loire	37	Rhin (Haut)	68
Ariège	09	Isère	38	Rhône	69
Aube	10	Jura	39	Saône (Haute)	70
Aude	11	Landes	40	Saône-et-Loire	71
Aveyron	12	Loir-et-Cher	41	Sarthe	72
Bouches-du-Rhône	13	Loire	42	Savoie	73
Calvados	14	Loire (Haute)	43	Savoie (Haute)	74
Cantal	15	Loire-Atlantique	44	Seine-Maritime	76
Charente	16	Loiret	45	Seine-et-Marne	77
Charente-Maritime	17	Lot	46	Sèvres (Deux)	79
Cher	18	Lot-et-Garonne	47	Somme	80
Corrèze	19	Lozère	48	Tarn	81
Corse (Haute)	2B	Maine-et-Loire	49	Tarn-et-Garonne	82
Corse du Sud	2A	Manche	50	Var	83
Côte-d'Or	21	Marne	51		
Côtes-du-Nord	22	Marne (Haute)	52		
Creuse	23	Mayenne	53		
Dordogne	24	Meurthe-et-Moselle	54		
Doubs	25	Meuse	55		
Drôme	26	Morbihan	56		
Eure	27	Moselle	57		
Eure-et-Loir	28	Nièvre	58		
Finistère	29	Nord	59		
		Oise	60		

Vaucluse	84
Vendée	85
Vienne	86
Vienne (Haute)	87
Vosges	88
Yonne	89
Belfort (Territ.)	90

RÉGION PARISIENNE

Ville de Paris	75
Yvelines	78
Essonne	91
Hauts-de-Seine	92
Seine-Saint-Denis	93
Val-de-Marne	94
Val-d'Oise	95

OUTRE-MER

Guadeloupe	971
Martinique	972
Guyane	973
Réunion	974

IMMATRICULATIONS SPÉCIALES

Corps Diplomatique	CD
Chef Mission Diplomatique	CMD
Corps Consulaire	CC
Véhicules des Domaines	D
Importation temporaire	IT
Transit temporaire	TT
Véhicules en vente ou en réparation	W
Immatriculation de livraison	WW

2. Terminer ce dialogue

La «conduite parisienne»

Yves Nédellec, un jeune Breton qui habite à Paris depuis un an, est venu chercher à la gare Montparnasse son cousin Hervé, qui lui rend visite.

YVES *(Il se dirige avec Hervé vers sa voiture, qu'il a laissée tout près d'un arrêt de bus.)*: C'est celle-là.

HERVÉ *(surpris, montre à Yves une petite feuille sous un des essuie-glace.)*: Yves! tu as une contravention.

YVES: Ah bon? *(Il met la contravention dans sa poche.)* Une de plus. Ne t'en fais pas. Ici, tout le monde en a. *(Ils s'installent dans la voiture. Yves démarre très vite et oblige une autre voiture à s'arrêter.)* Au fait, tu l'as, toi, le permis de conduire?

HERVÉ: J'ai juste le permis moto pour les moins de 125 cm^3. Je n'ai pas encore dix-huit ans.

YVES: Moi, je l'ai depuis trois mois.

HERVÉ: Attention! tu es passé à l'orange!

YVES: Et alors? Ce qui compte à Paris, mon vieux, c'est de savoir conduire. *(Il freine brusquement.)*

HERVÉ *(Il se tient des deux mains au tableau de bord.)*: Ecoute, tu me fais peur.

YVES: Mais non, tu t'y habitueras. C'est la conduite parisienne. Regarde; ça, c'est l'église Saint-Germain-des-Prés. Et maintenant, on arrive sur le boulevard Saint-Germain.

Imaginez la suite de cette promenade en voiture, jusqu'au moment où Yves cale au milieu d'un carrefour et où un autre automobiliste lui dit: «Dites, on n'est pas en province, ici!»

Ce qui peut arriver à Yves:

traverser un passage pour piétons sans faire attention;

tourner à droite ou même à gauche sans mettre son clignotant;

s'apprêter à doubler sans regarder dans son rétroviseur au moment même où une voiture commence à le dépasser;

prendre un sens interdit; brûler un feu rouge, etc.

Vocabulaire

la conduite	la façon de conduire une voiture
rendre visite à qn	venir voir qn
se diriger vers qc	aller en direction de qc
une glace	une vitre
un essuie-glace	un appareil qui essuie automatiquement la glace avant d'une voiture
une contravention (On dit aussi: un P.V. *fam* = un procès-verbal)	une feuille de papier qu'un agent de police met sur une voiture qui est mal garée
Ne t'en fais pas. *fam*	Ne te fais pas de souci.
démarrer	mettre le moteur en marche et partir
obliger qn à faire qc	faire faire qc à qn sans lui demander son avis
le permis de conduire	un document qui donne le droit de conduire une voiture
le permis moto	[Il y en a deux: un pour les moins de 18 ans (motos de moins de 125 cm^3); un pour les plus de 18 ans (toutes les motos)]
125 cm^3	= 125 centimètres cubes
l'orange *m*	la couleur du feu après le vert et avant le rouge
le tableau de bord	la partie de la voiture où se trouvent les instruments qui servent à la conduire
s'habituer à qc	finir par considérer qc comme normal
caler	arrêter le moteur sans le vouloir
un carrefour	un endroit où deux rues (ou deux routes) se croisent
un clignotant	un appareil qui sert à indiquer qu'on va tourner à gauche ou à droite
s'apprêter à faire qc	se préparer à faire qc
un rétroviseur	un petit miroir qui sert au conducteur à regarder derrière lui
dépasser qn	doubler qn
brûler un feu rouge	ne pas s'arrêter à un feu rouge

3. Inventer des dialogues

a) Un accident

Dans une ville de province, un automobiliste tourne à droite sans mettre son clignotant, au moment où un cycliste veut le doubler à droite, ce qui est interdit. Le cycliste est renversé. Ils sont donc en tort tous les deux.
Personnages: l'automobiliste; le cycliste; un témoin.

le cycliste (personne qui va à bicyclette); le témoin (personne qui a assisté à qc, p. ex. à un accident); faire attention; être blessé; la blessure; saigner (perdre son sang); la bosse; une roue tordue (roue qui a perdu sa forme); une petite / grosse réparation;
il est permis de ≠ il est interdit de; c'est de ma faute / de votre faute; c'est vous qui êtes en tort = être responsable d'un accident (avoir causé / provoqué un accident); la responsabilité est partagée; avoir sa carte d'assurance sur soi; déclarer l'accident à l'assurance; la voiture et la bicyclette se sont heurtées; être témoin d'un accident.

b) Comment aller du dôme des Invalides à la place Vendôme?

Un étranger demande son chemin à un passant; il le redemande place de la Concorde.

indiquer le chemin; passer par ..., passer devant ...; continuer jusqu'à la deuxième rue à gauche / jusqu'au carrefour.

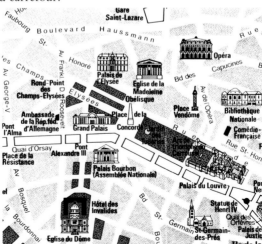

*Extrait du
plan de Paris*

4. Expressions et locutions

aller à pied / rouler à bicyclette (en bicyclette, en / à vélo) / en vélomoteur (en
    mobylette) / en moto / en voiture

faire une promenade à pied / en voiture, etc.

aller tout droit

prendre la première rue à gauche / à droite

tourner à gauche / à droite

gagner / prendre le trottoir d'en face

de ce côté-ci; de ce côté-là; de l'autre côté de la rue

demander son chemin / sa route à qn

pour aller à ..., s'il vous plaît?

vous pourriez me dire comment aller à ...

c'est par ici; c'est par là; passez par là

je me suis trompé de chemin / de route

monter en voiture ≠ descendre de voiture

avoir / passer le / son permis (de conduire)

la voiture va / roule vite; aller / rouler à 100 (kilomètres) à l'heure; faire du 100
    (kilomètres) à l'heure

être pris dans un embouteillage (un bouchon); être bloqué

avoir la priorité; qui a la priorité ici? il faut respecter la priorité à droite; il n'y a
    pas de priorité à droite ici

avoir / ne pas avoir la priorité sur un autre véhicule

laisser la priorité à une voiture

passer à l'orange

brûler un feu rouge / un stop

avoir de bons réflexes

conduire comme un fou

avoir une contravention

avoir un accident; la voiture a heurté un camion

écraser / renverser un piéton

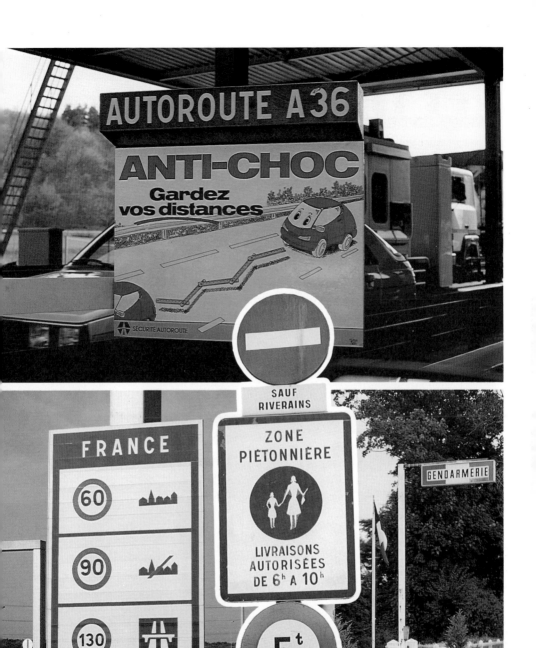

7. POSTES, TÉLÉGRAPHES ET TÉLÉPHONES (P.T.T.)

Un bureau de poste (intérieur)

1. Etude d'un dialogue

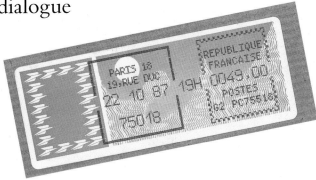

Au bureau de poste

Personnages: M. ERARD;
UNE EMPLOYÉE des postes;
UN EMPLOYÉ des postes;
UNE DAME; LA VOIX DE M. DURAND au téléphone.

La scène se passe dans un bureau de poste à Orléans. Monsieur Erard attend son tour au guichet «Téléphone, Télégrammes».

L'EMPLOYÉE *(Elle s'adresse à M. Erard.)*: Monsieur?

M. ERARD: Je voudrais téléphoner à Paris, s'il vous plaît.

L'EMPLOYÉE *(Elle lui donne une plaquette sur laquelle est inscrit le chiffre 2.)*: Cabine numéro deux.

(M. Erard entre dans la cabine, décroche le récepteur et fait le numéro.)

M. ERARD: 16.1.42.75.30.01.

UNE VOIX D'HOMME: Allô! oui. J'écoute.

M. ERARD: C'est toi, Jacques?

LA VOIX: Oui, c'est Jacques Durand. Qui est à l'appareil?

M. ERARD: Ici Roger, d'Orléans. Bonjour, Jacques.

LA VOIX: Ah! bonjour, Roger. Comment vas-tu?

M. ERARD: Ça va bien, merci … Dis, j'aimerais bien aller faire un tour à Paris ce week-end. Vous serez là?

LA VOIX: Oui. C'est une bonne idée, on sera contents de vous voir. Vous pourrez tous coucher chez nous.

M. ERARD: Tu sais, je préfère venir seul. Je vois les deux gosses tous les soirs quand je rentre du bureau: je me passerai bien d'eux pour un week-end! Quant à ma femme, je crois qu'elle préfère rester à la maison.

LA VOIX: Tu crois? Eh bien, c'est comme tu voudras … Tu arriveras quand?

M. ERARD: J'arriverai en fin d'après-midi.

LA VOIX: Entendu. Alors, à samedi! Donne le bonjour à ta femme. C'est dommage pour elle!

M. ERARD: Elle viendra une autre fois. Au revoir, Jacques.

LA VOIX: A bientôt, Roger!

M. ERARD *(Il sort de la cabine, retourne au guichet et rend la plaquette.)*: Combien je vous dois?

L'EMPLOYÉE: Cabine numéro deux ... Dix francs, monsieur. *(Elle prend l'argent que M. Erard lui tend.)* Merci.

(M. Erard va au guichet «Affranchissements, tous mandats».)

M. ERARD *(Il donne une lettre à l'employé.)*: Je voudrais envoyer cette lettre en recommandé, et puis, je voudrais un carnet de timbres à 2,20 F.

L'EMPLOYÉ *(Il prend la lettre.)*: Vous voulez l'envoyer avec accusé de réception?

M. ERARD: Non, ce n'est pas la peine.

L'EMPLOYÉ: Bon. Alors, 22 F pour les timbres, 14,80 F pour le recommandé ... Ça vous fait 36,80 F, monsieur.

M. ERARD: Au fait, pendant que j'y pense, je voudrais toucher un mandat que le facteur a apporté hier. Il n'y avait personne à la maison. Alors, il a laissé cet avis dans la boîte aux lettres.

L'EMPLOYÉ *(Il regarde le papier que M. Erard lui montre, hésite, puis cherche le mandat. Après l'avoir trouvé)*: Le problème, c'est que le mandat est au nom de Mme Erard. Vous avez une procuration?

M. ERARD: Non, monsieur, c'est ma femme. Je peux vous montrer ma carte d'identité, si vous voulez!

L'EMPLOYÉ: Ce n'est pas ça. Je ne peux pas vous donner l'argent sans procuration.

M. ERARD: Alors, il aurait fallu que ma femme me donne une procuration? Mais c'est ridicule! Qu'est-ce que c'est que cette histoire?

L'EMPLOYÉ: Ce n'est pas une histoire, monsieur, c'est le règlement ... 36,80 F, s'il vous plaît.

M. ERARD *(en colère)*: Mais donnez-moi cet argent, enfin! Est-ce que je suis le chef de famille, oui ou non? C'est moi qui gagne l'argent et qui m'en occupe!

UNE DAME *(qui attend derrière lui)*: Ecoutez, je suis pressée. Vous avez bien entendu que monsieur ne peut pas vous donner votre argent!

M. ERARD *(toujours en colère)*: Vous aurez la gentillesse d'attendre.
Ce sera votre tour quand j'aurai terminé, un point c'est tout! *(Il veut encore parler à l'employé.)*

LA DAME: Ecoutez, monsieur, vous ne pourriez pas employer un autre ton, non? Ce n'est pas à votre femme que vous parlez!

Étiquettes

Ligne de numérotation

N° télégraphique | Taxe principale.

ZCZC

Timbre
à
date

Taxes
accessoires

N° de la ligne du P.V. :

Ligne pilote

Bureau de destination   Département ou Pays

Total . .

Bureau d'origine	Mots	Date	Heure	Mentions de service

Services spéciaux demandés :
(voir au verso)

Inscrire en **CAPITALES** l'adresse complète (rue, n° bloc, bâtiment, escalier, etc...), le texte et la signature (une lettre par case ; laisser une case blanche entre les mots).

Nom et adresse

MATHALIIE BELMOND
48 BD ST GERMAIN
75005 PARIS

TEXTE et éventuellement signature très lisible

ARRIVE SAMEDI SEPT HEURES QUINZE
GARE DE L'EST
EVA

Pour accélérer la remise des télégra...
le numéro de téléphone (1) ...

TF

AVIS

Avis à coller par l'agent des Post

N° 515 - C 5
SERVICE DES POSTES DE FRANCE

A remplir par le bureau d'origine

Bureau de dépôt

N° | Date de dépôt

A REMPLIR PAR L'EXPÉDITEUR
(Qui indique son adresse)

(Nom ou raison sociale)

□ de réception □ de paiement □ d'inscription
Timbre du bureau renvoyant l'avis

M

rue

N° | rue

RETOUR
de l'avis

Localité | (6 celle-ci est di

à | (Code postal)

N'ôtez pas les bandes blanches

COUPON
remis au destinataire

N° d'émission :

A REMPLIR PAR L'EXPÉDITEUR

MONTANT du mandat
(en chiffres)

MANDAT de la somme de
(en lettres)

EXPÉDITEUR (Nom et adresse)
M (1)

payable à
(1) (Pour une femme, préciser «Madame» ou «Mademoiselle»).

M _____ est informé que
ce mandat est payable au bureau
de _____
à partir du _____ à _____ h.
Se munir du présent coupon et
d'une pièce d'identité.

M

DESTINATAIRE | M (1)

EXPÉDITEUR | M (1)

MONTANT :

(Pendant un instant, M. Erard cherche une réponse. Mais il n'en trouve pas. Alors, il sort son portefeuille et donne un billet de cinquante francs à l'employé.)
L'EMPLOYÉ *(après lui avoir rendu la monnaie)*: Merci, monsieur ... Madame?

Vocabulaire

décrocher	prendre (qc qui est accroché)
le récepteur	la partie du téléphone qu'on tient lorsqu'on parle
un tour	*ici:* un voyage, suivi d'un séjour assez court
un(e) gosse *fam*	un(e) enfant
se passer de qn	ne pas être avec qn et ne pas en être triste
quant à ma femme [kãta...]	en ce qui concerne ma femme
Entendu.	D'accord.
C'est dommage pour elle.	Je regrette pour elle.
tendre qc à qn	donner qc à qn
l'affranchissement *m* (d'une lettre)	le fait de mettre un timbre sur une lettre
un mandat [mãda]	un formulaire où l'on écrit la somme d'argent qu'on veut envoyer à qn
envoyer une lettre en recommandé *m*	payer plus cher pour avoir la garantie que la lettre ne se perdra pas
un carnet de timbres	10 timbres vendus ensemble
un accusé de réception	un formulaire que doit signer la personne qui reçoit une lettre recommandée
Ce n'est pas la peine.	Ce n'est pas nécessaire.
toucher un mandat	se faire payer un mandat
un avis	une feuille de papier qui nous informe que nous avons reçu un mandat, p. ex.
hésiter	ne pas savoir ce que l'on doit faire
une procuration	un papier signé qui sert, p.ex., à toucher de l'argent pour une autre personne
une carte d'identité *f*	une carte officielle qui porte la photo d'une personne, son nom, son prénom, etc.
être pressé,e	avoir très peu de temps, devoir faire vite
la gentillesse	→ gentil
j'ai terminé	j'ai fini
un point c'est tout	c'est tout ce que j'avais à dire
un instant	un très petit moment
un portefeuille	un porte-monnaie
rendre la monnaie à qn	rendre à qn l'argent qu'il a donné en trop

2. Transformer ces textes en dialogues

Au café-tabac

Une jeune Allemande – vous lui donnerez un nom et un prénom – est arrivée en début d'après-midi à la gare du Nord à Paris. Elle s'est installée dans un café près de la gare, a bu quelque chose et écrit une lettre à ses parents. Ensuite, elle a payé et veut maintenant quitter le café, sa lettre à la main.

La jeune fille demande au patron du café où se trouve le bureau de poste le plus proche. Il lui répond qu'il est à côté de la gare, mais que le café fait aussi bureau de tabac: si elle veut des timbres, elle peut les y acheter. La jeune fille trouve cela très bien. Elle demande à combien il faut affranchir les lettres et les cartes postales pour l'étranger. Elle apprend que, pour son pays et pour certains autres Etats de la Communauté, le tarif est le même que pour la France: 2,20 F pour les lettres et 1,90 F pour les cartes postales. La jeune fille prend cinq timbres à 2,20 F et trois timbres à 1,90 F. De plus, elle achète un paquet de Gitanes filtre et une petite boîte d'allumettes. Elle paie le tout 23,50 F.

Elle suppose qu'il y a une boîte aux lettres au café-tabac. Mais le patron regrette. Il lui conseille d'aller à la gare pour poster sa lettre: les levées y sont nombreuses.

Dans une cabine téléphonique

a) *La jeune fille, qui veut appeler des amis – M. et Mme Dubois –, à Orléans, se rend dans une cabine téléphonique.*

Comme elle ne comprend pas les explications qui sont écrites sur l'appareil, elle demande à un jeune homme, arrivé juste après elle à la cabine, de lui dire comment il faut faire. Le garçon lui répond qu'elle doit d'abord décrocher, puis introduire une pièce de 5 F dans l'appareil, ou si elle veut, une ou plusieurs pièces de 1 F et, enfin, composer le numéro.

b) *La jeune fille décroche, met une pièce de 5 F dans l'appareil, puis elle fait le numéro des Dubois.* Elle entend une voix de femme, mais ne reconnaît pas la voix de Mme Dubois. Elle demande qui est à l'appareil. Mais la femme répète sans arrêt une phrase que la jeune fille ne comprend pas («Il n'y a pas d'abonné au numéro que vous avez demandé, veuillez refaire votre numéro ou consulter l'annuaire.»). La jeune fille dit plusieurs fois qu'elle ne comprend pas. Mais la voix continue de répéter la même phrase. La jeune fille raccroche.

c) *Elle sort de la cabine* et raconte au jeune homme ce qui s'est passé. Il lui dit que ce qu'elle a entendu, c'est une bande enregistrée. Elle a dû faire un faux numéro. Mais la jeune fille est sûre d'avoir fait le bon numéro. Le jeune homme lui demande alors si elle veut téléphoner à Paris ou en province. La jeune fille répond qu'elle veut appeler des amis qui habitent Orléans. Le jeune homme veut savoir si elle a fait le 16 avant le numéro de son correspondant, ce qui est nécessaire quand on téléphone de Paris en province. La jeune fille n'a fait que le numéro de ses amis.

d) *Elle retéléphone et, cette fois, fait le 16. Elle ressort de la cabine* et dit au jeune homme qu'elle n'a pas pu parler à ses amis: c'est occupé. Elle l'invite à donner son coup de téléphone et ajoute qu'elle rappellera ses amis dix minutes plus tard. Le jeune homme est d'accord. Elle le remercie de sa gentillesse et de sa patience.

Vocabulaire

un café-tabac	un café qui est, en même temps, un bureau de tabac
le plus proche	situé le plus près de l'endroit où l'on se trouve
l'étranger *m*	pour un Français: les pays autres que la France
certains Etats	quelques Etats
la Communauté	= la Communauté Européenne (C.E.)
les Gitanes *f*	une marque française de cigarettes
une allumette	un très petit morceau de bois, pour allumer les cigarettes
conseiller à qn de faire qc	dire à qn ce qu'il doit faire
poster une lettre	mettre une lettre à la boîte

70

la levée	le fait, pour un employé des postes, de prendre les lettres dans la boîte
introduire qc dans qc	mettre qc dans qc
composer le numéro	faire le numéro
un abonné	*ici:* qn qui a le téléphone
consulter qc	regarder dans qc
raccrocher	≠ décrocher
enregistrer qc	(On *enregistre* avec un magnétophone.)
le correspondant	*ici:* la personne à qui l'on téléphone
ce qui est nécessaire	ce qu'il faut faire
la patience	la qualité d'une personne qui sait attendre

3. Inventer des dialogues

a) Un mandat international

Un jeune étranger passe ses vacances dans une famille française. Un jour, le facteur apporte en même temps que le courrier un mandat international envoyé par les parents du jeune homme, mais celui-ci n'est pas là. Le facteur ne peut pas donner l'argent à la maîtresse de maison parce qu'elle n'a pas de procuration. Quelques heures plus tard, le jeune étranger est au bureau de poste et touche son mandat.

le courrier; le destinataire d'une lettre / d'un mandat (personne à qui l'on envoie une lettre / un mandat) ≠ l'expéditeur *m* (personne qui envoie une lettre / un mandat); signer; la signature
présenter sa carte d'identité; veuillez signer, s. v. p.; signer au verso (signer au dos d'un papier); apposer / mettre / inscrire sa signature

b) Un coup de téléphone

Un garçon de dix-huit ans qui se trouve en compagnie d'une jeune fille de son âge, s'arrête devant un café. Il voudrait téléphoner à un ami pour lui demander s'il a envie de venir au cinéma avec eux. Il propose à la jeune fille de prendre un café en l'attendant. Elle refuse et le quitte. Elle aurait voulu qu'ils aillent au cinéma à deux. Le jeune homme entre seul et va téléphoner à son ami.

donner un coup de téléphone à qn (téléphoner à qn / passer un coup de fil à qn *fam*)

4. Expressions et locutions

je voudrais un timbre à 2,20 F; un timbre à 2,20 F, s'il vous plaît
je voudrais un carnet de dix timbres à 2,20 F
Quel timbre est-ce qu'il faut mettre sur une lettre pour l'Allemagne fédérale? à combien faut-il affranchir une lettre pour l'Allemagne / quel est le tarif d'affranchissement des lettres pour l'Allemagne? – c'est le même tarif que pour la France
envoyer une lettre en recommandé (avec accusé de réception)
combien de temps mettra cette lettre pour arriver à Francfort? – elle mettra deux jours
envoyer une lettre par avion
poster une lettre / mettre une lettre à la boîte
la levée a lieu à . . . heures; la prochaine levée aura lieu à . . . heures
envoyer un mandat à qn ≠ toucher un mandat
envoyer un télégramme à qn
(est-ce que) vous avez le téléphone?
téléphoner à qn; téléphoner à qn de chez qn
faire / composer un numéro de téléphone / le numéro
avoir / ne pas avoir la communication; j'ai mis une demi-heure pour avoir la communication
décrocher le récepteur ≠ raccrocher le récepteur
Allô! – Allô! – M. Durand? / C'est M. Durand? – Oui, c'est moi. Qui est à l'appareil? – Ici Mme Dubois . . .
la ligne est occupée; c'est occupé / ça sonne occupé ≠ la ligne est libre; c'est libre
c'est libre, mais personne ne répond; il n'y a personne

CARRIÈRES & EMPLOIS

...s de l'industrie... Les métiers de l'industrie... Les métiers de...

1. Etude d'un dialogue

A la recherche d'un emploi

Personnages: Un ouvrier qui cherche du travail;
                     Un membre du service du personnel;
                     Une secrétaire.

La scène se passe un lundi matin, dans le bureau de la secrétaire, puis dans celui du membre du service du personnel.

L'ouvrier *(Il rend à la secrétaire le formulaire qu'elle lui a donné à remplir.)*: Voilà.

La secrétaire *(Elle regarde le formulaire.)*: Vous n'avez pas indiqué combien de temps vous avez travaillé chez votre dernier employeur. *(Elle lui redonne le formulaire. L'ouvrier le rapporte quelques instants plus tard.)* Bon, ça va. Je vais vous annoncer à M. Legrand. *(Elle téléphone et regarde sa montre.)* Normalement, il est là à huit heures, mais aujourd'hui, c'est lundi, vous comprenez. *(Cinq minutes plus tard, elle téléphone à nouveau.)* Vous pouvez y aller, M. Legrand vous attend; c'est le bureau du fond, à droite.

L'ouvrier *(Il entre dans le bureau.)*: Bonjour, monsieur.

M. Legrand: Bonjour, asseyez-vous. *(Il lit le formulaire que l'ouvrier vient de remplir.)* Vous êtes envoyé par l'A.N.P.E., vous avez été licencié pour motifs économiques?

L'ouvrier: Oui, l'usine a débauché deux mille ouvriers.

M. Legrand: Vous étiez O.S., mais vous avez fait un stage de reconversion, je vois?

L'ouvrier: Oui, dans l'électronique.

M. Legrand: Eh bien, écoutez, je peux vous proposer un contrat de travail à durée indéterminée, période d'essai de quinze jours.

L'ouvrier: Quelles sont les conditions?

M. Legrand: Vous touchez 5 500, vous faites 38 heures 30 d'horaire hebdomadaire sur l'année, c'est-à-dire que vous faites tantôt 36 heures 30, tantôt 40 heures.

L'ouvrier: Et les heures supplémentaires?

M. Legrand: Vous savez que les heures supplémentaires sont réglementées: pas plus de 130 heures par an. Là aussi, nous appliquons les textes. Vous verrez, c'est une bonne boîte ... A part ça, vous avez cinq semaines de congés payés.

L'OUVRIER: Et les horaires journaliers?

M. LEGRAND: Les gars travaillent en deux équipes, la première de cinq heures trente à treize heures, la deuxième de treize heures à vingt heures trente. Ça vous va?

L'OUVRIER: Oui, je suis d'accord.

M. LEGRAND: Alors, vous pouvez vous présenter lundi à la première équipe, auprès de M. Jarri, votre nouveau chef de service. Bon, eh bien, au revoir.

L'OUVRIER: Au revoir, monsieur.

Vocabulaire

un emploi	un travail, une place
un membre de qc	qn qui fait partie de qc
un service	une section, une partie d'une entreprise
le personnel	l'ensemble des personnes qui travaillent dans une entreprise
remplir (un formulaire)	écrire son nom, son prénom, etc. sur un formulaire
un employeur	un patron
annoncer qn	dire que qn va arriver
le fond	la partie (d'une pièce, d'un corridor) qui se trouve le plus loin de la porte
l'A.N.P.E. [laɛnpeə]*f*	= l'Agence nationale pour l'emploi: une organisation qui s'occupe de trouver du travail aux chômeurs
être licencié,e	perdre son emploi
un motif	une cause, une raison
débaucher qn	licencier qn; ≠ embaucher qn
un O.S. [ɛ̃noɛs]	≠ un ouvrier spécialisé; un ouvrier sans qualification, qui fait un travail très simple
la reconversion	l'action de faire apprendre un nouveau métier à qn
un stage de reconversion	des cours que l'on suit pour apprendre un nouveau métier
un contrat de travail	un papier qui règle les conditions de travail, de paiement, etc.
à durée indéterminée	dont la durée n'est pas limitée
un essai	→ essayer
la période d'essai	le temps où l'ouvrier est à l'essai (L'employeur veut voir s'il travaille bien, avant de l'embaucher.)
toucher (de l'argent)	gagner (de l'argent)
l'horaire *m* hebdomadaire	les heures de travail par semaine
tantôt ... tantôt	*ici:* certaines semaines ... d'autres
une heure supplémentaire	une heure que l'on fait en plus du temps de travail normal

appliquer un texte (de loi)	respecter un texte, faire ce qu'il y est écrit
à part ça	avec ça, en plus de ça
les congés payés	les vacances payées
journalier,-ère	→ un jour
un gars [ga] *fam*	un homme

2. Terminer ce dialogue

Comment gagner sa vie?

Personnages: M. LAGRANGE, un agriculteur qui possède une petite ferme de vingt hectares dans la région de Nancy;
JEAN, son fils unique, qui a dix-sept ans.

La scène se passe un soir de printemps alors que la famille est à table.
JEAN: Je voulais vous dire que j'ai décidé d'aller en Bretagne au mois de juin.
M. LAGRANGE: Comment? Qu'est-ce que tu dis?
JEAN: Je vais aller en vacances en Bretagne. Je partirai avec Nicolas. Il aura la 2 CV de son père.
M. LAGRANGE: Tu as déjà vu des agriculteurs partir en vacances? Pas moi. Et le travail? Qui est-ce qui le fera?
JEAN: Ne t'en fais pas. Je serai là pour les foins. Et puis, les ouvriers ont bien des vacances. Pourquoi est-ce que moi, je n'en aurais pas?
M. LAGRANGE: Tu n'as qu'à être ouvrier!
JEAN: Et alors? Si j'étais ouvrier, je toucherais un salaire régulier et je ferais la semaine de 39 heures. D'ailleurs, à Nancy, on embauche du personnel non qualifié.

Ce que dira M. Lagrange: Il pense que son fils n'a jamais manqué de rien à la ferme et il trouve idiot de vouloir quitter la campagne pour aller se «tuer au boulot» à la ville. Il parle du chômage: Jean se fait des illusions. Il ne trouvera pas de travail.
Et pourquoi vouloir travailler pour un patron d'usine? Plus tard, Jean sera le maître à la ferme. Celle-ci ne marche pas si mal que ça: ils n'ont pas de dettes. M. Lagrange doit pourtant reconnaître qu'ils ont du mal à gagner leur vie.

Une ferme, en Lorraine

Une usine, dans la région parisienne

Le projet qu'ont Jean et Nicolas de cultiver leurs terres ensemble l'étonne. Tant qu'il sera vivant, il ne voudra pas d'autre patron dans sa ferme que lui-même ou son fils. Il est furieux et ne veut plus entendre parler de tout ça.

Ce que dira Jean: On se «tue au boulot» à la campagne encore plus qu'à la ville. A l'usine, on sait au moins à quelle heure on finit; en plus de ça, les heures supplémentaires sont payées, et on a cinq semaines de congés payés. Il sait qu'il y a du chômage, mais il peut faire un stage de formation: il trouvera ainsi plus facilement du travail que comme manœuvre.

77

Il reconnaît l'avantage qu'il y a à travailler pour soi et non pas pour quelqu'un d'autre. Seulement, un jour ils ne s'en tireront plus avec une ferme aussi petite. C'est vrai qu'ils n'ont pas de dettes. Mais la vie devient de plus en plus chère, et bientôt leurs dix vaches ne suffiront plus.

Il parle d'un projet: si Nicolas et lui-même restent à la ferme, ils cultiveront leurs terres ensemble. Sur cinquante hectares, les machines seraient beaucoup plus rentables. Il n'est pas surpris que son père ne soit pas d'accord. Seulement, s'ils ne peuvent pas s'entendre avec les parents, Nicolas et lui s'embaucheront tous les deux à Nancy.

Il reste calme et regrette de ne pas pouvoir discuter avec son père comme avec son ami. Pour le moment, une chose est sûre, c'est qu'il ira en vacances début juin.

Vocabulaire

un(e) agriculteur,-trice	un paysan
posséder	avoir
un fils unique	un garçon qui n'a pas de frères et sœurs
alors que	pendant que
une 2 CV [døʃvo]	= une deux-chevaux; la plus petite des voitures de la marque Citroën
le foin	l'herbe coupée et séchée que l'on donne à manger, en hiver, aux animaux de la ferme
le boulot [bulo] *fam*	le travail
une dette	de l'argent que l'on doit à qn
avoir du mal à faire qc	avoir de la difficulté à faire qc
les terres *f, plur*	les champs que possède un agriculteur
étonner qn	surprendre qn
tant que	aussi longtemps que
être vivant,e	≠ être mort
être furieux,-euse	être en colère
un manœuvre	un ouvrier sans qualification
s'en tirer	se sortir d'une situation difficile; *ici:* arriver à gagner assez d'argent pour vivre
suffire	être assez

3. Inventer des dialogues

a) Faire les vendanges dans le Midi

Un jeune étranger voudrait faire les vendanges pour gagner un peu d'argent. Un jour de septembre, il s'adresse à un vigneron du Midi, dont il a eu l'adresse par un copain et qui cherche des vendangeurs.

le vigneron (propriétaire de vignes);
les vendanges *f* (la récolte du raisin dans les vignes); le vendangeur; le raisin blanc / noir; la grappe de raisin (la grappe: un groupe de fruits qui poussent ensemble); le sécateur (des ciseaux qui servent à couper les grappes de raisin); vendanger, faire les vendanges; couper les grappes; avoir mal aux reins (avoir mal au dos)

b) Pourquoi êtes-vous en grève?

Deux ouvriers, dont l'un est au chômage, l'autre en grève, se parlent dans un café.

une grève (une action entreprise par des ouvriers, des employés, etc. qui arrêtent de travailler pour avoir ce qu'ils demandent); un(e) gréviste (une personne qui fait la grève); se mettre en grève; le licenciement (le fait d'être licencié); la rationalisation; rationaliser; la direction / le directeur / le patron de l'entreprise / de l'usine; le comité d'entreprise; un syndicat (une organisation qui défend les intérêts professionnels d'une certaine catégorie de personnes, par exemple ceux des ouvriers); être syndiqué (être membre d'un syndicat); être syndiqué à la C.G.T. (Confédération générale du travail; syndicat ouvrier français le plus important, de tendance communiste) / à F.O. (Force ouvrière; neutre politiquement, sympathie pour les socialistes) / à la C.F.D.T. (Confédération française démocratique du travail; syndicat ouvrier français de tendance socialiste); la chaîne (la chaîne de fabrication); travailler à la chaîne; les travailleurs immigrés / les immigrés (des travailleurs qui viennent d'un pays étranger); cesser le travail ≠ reprendre le travail; les revendications *f* des ouvriers (ce qu'ils demandent); les propositions de la direction; l'usine marche bien/mal; toucher l'allocation *f* de chômage (une somme que l'Etat paie à celui qui est au chômage); ne pas avoir le S.M.I.C. (salaire minimum interprofessionnel de croissance: salaire minimum garanti par la loi); ne pas avoir son C.A.P. (Certificat d'aptitude professionnelle; diplôme qui prouve qu'une personne a appris un métier); avoir une qualification (le fait, pour un ouvrier, d'avoir appris un certain métier et de posséder le C.A.P.; on dit «un ouvrier qualifié»); demander / obtenir une augmentation de salaire / une réduction du temps de travail

4. Expressions et locutions

travailler / être / se mettre à son compte; travailler pour soi / pour son propre compte

toucher un salaire; être salarié

je cherche du travail

être embauché / engagé ≠ être licencié / renvoyé

être en / au chômage

être syndiqué; adhérer à un syndicat; un(e) adhérent(e)

travailler dans une usine / un magasin / un bureau, etc.

le travail commence à sept heures précises

travailler à la chaîne

apprendre un métier; apprendre le métier de boulanger; entrer / être en apprentissage, être apprenti

vouloir être mécanicien / boulanger / professeur, etc.

être mécanicien / boulanger / professeur / employé de bureau, etc.

passer / avoir son C.A.P.

être ouvrier qualifié / ouvrier spécialisé / manœuvre

gagner bien sa vie, être bien payé, avoir un salaire élevé; être mal payé, avoir un salaire très bas

gagner 37,50 F de l'heure; gagner 1 650 F par semaine

faire la semaine de 39 heures

faire des heures supplémentaires

avoir une augmentation (de salaire)

avoir des vacances ≠ ne pas avoir de vacances; prendre des vacances; être en vacances

avoir cinq semaines de congés payés

se mettre en grève; faire la grève / faire grève; être en grève

9. AU SPECTACLE

Le théâtre de la Comédie-Française

Un cinéma, sur les Champs-Elysées

L'Olympia (un music-hall)

1. Etude d'un dialogue

Au cinéma

Personnages: UN JEUNE OUVRIER;
UNE JEUNE OUVRIÈRE;
LA CAISSIÈRE;
L'OUVREUSE.

Le jeune homme et la jeune fille se promènent un samedi après-midi sur le boulevard Saint-Michel. Il commence à pleuvoir.

LE JEUNE HOMME: Viens, on va s'abriter dans cette petite rue.

LA JEUNE FILLE: Regarde mes cheveux. Je vais être belle! C'est un orage. Dieu sait combien de temps ça va durer!

(Le jeune homme entraîne la jeune fille dans le hall d'un cinéma et regarde les photos.)

LA JEUNE FILLE: Qu'est-ce qu'on joue cette semaine?

LE JEUNE HOMME: Un film en couleurs. Attends que je regarde comment il s'appelle ... «Z». Tiens! je crois que j'en ai entendu parler.
C'est un vieux film. Mais ils le repassent de temps en temps.

LA JEUNE FILLE: Tu crois qu'il est bien? Il y a des vedettes?

LE JEUNE HOMME: Il y a Yves Montand, Jean-Louis Trintignant ...

LA JEUNE FILLE: Alors, on entre? C'est embêtant, cette pluie.

LE JEUNE HOMME: C'est un cinéma permanent. On peut y aller tout de suite.

LA JEUNE FILLE: C'est 36 F la place.

LE JEUNE HOMME: «Etudiants, chômeurs, cartes vermeilles: 26 F.» Je ne vois vraiment pas pourquoi il n'y a pas de réduction pour nous! Nous non plus, nous ne sommes pas riches!

LA CAISSIÈRE: Ben, il faut venir le lundi! Ce jour-là, il y a un prix unique: c'est 26 F pour tout le monde.

LE JEUNE HOMME: Pas de veine, on est mercredi! Deux places, s'il vous plaît.

LA CAISSIÈRE: 72 F. *(Elle prend l'argent que le jeune homme lui donne.)* Merci, monsieur. Voilà les billets ... Le film est presque fini. Si vous voulez bien attendre un peu ...

LE JEUNE HOMME: Non, tant pis, on va entrer tout de suite.

(Ils entrent dans la salle.)

LA JEUNE FILLE: Tu as de la monnaie pour l'ouvreuse?

LE JEUNE HOMME: J'ai une pièce de deux francs.

(L'ouvreuse arrive avec une lampe de poche et prend les deux billets.)

L'OUVREUSE: Par ici, s'il vous plaît. *(Elle leur indique deux places dans une rangée du milieu et leur rend les billets. Le jeune homme lui tend la pièce de deux francs.)* Merci beaucoup, monsieur.

V.O. Dolby stéréo : GAUMONT COLISÉE - IMPERIAL PATHE - GAUMONT HALLES
BIENVENUE MONTPARNASSE - 14 JUILLET BEAUGRENELLE - ST-ANDRE DES ARTS - ESCURIAL
V.O. : LA BASTILLE / V.F. : GAUMONT OPERA - BIENVENUE MONTPARNASSE - GAUMONT ALESIA
FAUVETTE - CLICHY PATHE / Périphérie : VERSAILLES

Le nouveau, **WIM WENDERS**

PRIX DE LA MISE EN SCENE XXXXe FESTIVAL DE CANNES

BRUNO GANZ
SOLVEIG DOMMARTIN
OTTO SANDER
CURT BOIS

ET PETER FALK

LES AILES DU DESIR

UN FILM DE WIM WENDERS

DIRECTEUR DE LA PHOTOGRAPHIE HENRI ALEKAN - MUSIQUE JURGEN KNIEPER - DECORS HEIDI LUDI, SFK
ASSISTANTE A LA MISE EN SCENE CLAIRE DENIS - MONTAGE PETER PRZYGODDA - PRODUCTEUR EXECUTIF INGRID WINDISCH
PRODUIT PAR ANATOLE DAUMAN ET WIM WENDERS UNE CO-PRODUCTION ARGOS FILMS, PARIS - ROAD MOVIES, BERLIN EN PARTICIPATION AVEC WDF - COLOGNE
ECRIT ET REALISE PAR WIM WENDERS - SCENARIO EN COLLABORATION AVEC PETER HANDKE

(Ils s'installent. Sur l'écran, on voit des officiers en grand uniforme.)

LE JEUNE HOMME: Tout le monde rit. Ça doit être un film comique.

(Le public cesse de rire. Le film se termine au bout de quelques minutes.)

LA JEUNE FILLE: Je n'y comprends pas grand-chose. Ça a l'air d'être un film policier.

LE JEUNE HOMME: Je ne sais pas. C'est peut-être un film politique. Il paraît qu'on appelle ça un «film engagé». Enfin, on verra bien.

(La lumière revient dans la salle. C'est l'entracte. Des gens se lèvent et sortent. D'autres entrent. Sur l'écran, on voit de la publicité.)

LA JEUNE FILLE: C'est agaçant, toute cette pub! Ils en font déjà assez dans les rues et dans le métro. Et à la radio!

(Ils regardent un petit dessin animé sur le lait. A la fin de ce film, on voit apparaître en grosses lettres sur l'écran: «Pas de sécurité sans sobriété» et une voix dit:) «Parents, si vous aimez vos enfants, buvez du lait!»

LE JEUNE HOMME: Drôle d'idée! Quand j'étais petit, mes parents me disaient: «Si tu aimes bien papa et maman, bois ton lait ...»

L'OUVREUSE *(Elle passe avec un carton plein de chocolats glacés.)*: Chocolats glacés! Demandez des chocolats glacés!

LE JEUNE HOMME: Ils auraient dû nous apporter un verre de lait après leur pub! ... Tu veux une glace?

LA JEUNE FILLE: Non, je préfère aller prendre un pot quelque part après la séance.

(La lumière s'éteint. On passe un court métrage.)

LA JEUNE FILLE: Ah, un documentaire.

Vocabulaire

un spectacle	(Le cinéma, le théâtre, l'opéra, etc. sont *des spectacles.*)
un(e) caissier,-ère	la personne à qui l'on paie dans un cinéma, un théâtre, un magasin
une ouvreuse	une femme qui conduit les gens à leur place dans un cinéma, un théâtre
le boulevard Saint-Michel	un boulevard très connu, situé dans le Quartier Latin, à Paris
s'abriter	*ici:* se mettre à un endroit où la pluie ne nous atteint pas
entraîner qn	emmener qn
une vedette	*ici:* un acteur ou une actrice de cinéma très connus
un cinéma permanent	un cinéma où l'on passe le même film plusieurs fois de suite
la carte vermeille	une carte qui donne le droit aux vieilles personnes d'avoir des réductions dans le bus, le métro, les cinémas, etc.
un prix unique	un seul prix
la veine *fam*	la chance
tant pis	ça ne fait rien
Par ici, s.v.p.	Suivez-moi, s.v.p.
une rangée	une ligne formée par plusieurs fauteuils
tendre qc à qn	donner qc à qn
l'écran *m*	ce sur quoi on voit les images du film
cesser de faire qc	arrêter de faire qc
se terminer	finir
Ça a l'air d'être …	Ça paraît être …
un film policier	un film où l'on parle de gangsters et de la police
il paraît que	on dit que, j'ai entendu dire que
un film engagé	un film qui critique la réalité politique ou sociale
l'entracte *m*	une pause entre les différentes parties d'un spectacle
la publicité (la pub *fam*)	la réclame
agaçant,e	verbe «agacer» = mettre un peu en colère
un dessin animé	un film dont les images sont dessinées (Walt Disney a fait beaucoup de *dessins animés.*)
apparaître	≠ disparaître
la sécurité	le fait de ne pas être en danger
la sobriété	la qualité de qn qui boit peu ou pas du tout
un chocolat glacé	de la glace couverte de chocolat
aller prendre un pot [po] *fam*	aller boire qc
une séance de cinéma	(*La séance de cinéma* a duré deux heures.)
un court métrage	un film qui ne dure pas longtemps
un documentaire	un reportage filmé

2. Transformer ce texte en dialogue

Au théâtre

Un jeudi, M. Georges Gros, homme d'affaires parisien, rentre à midi de son bureau.

a) Mme Gros lui dit qu'elle a l'intention de sortir ce soir-là avec son amie, Mme Neveu, qui vient de passer chez elle. Elle demande à son mari de les accompagner. M. Gros préfère sortir pendant le week-end plutôt qu'en semaine, cependant il ne refuse pas.

Comme l'Opéra fait relâche, sa femme et Mme Neveu ont décidé d'aller à la Comédie-Française. M. Gros, qui veut bien faire plaisir à sa femme, aimerait quand même savoir ce que l'on joue. Il apprend que l'on donne «Phèdre» de Racine. Il n'est pas très enthousiaste. Sa femme, par contre, se réjouit d'aller voir une tragédie de Racine: elle adore les pièces classiques.

Elle va au bureau de location de la Comédie-Française pour prendre les places. La caissière lui dit que c'est presque complet. Mme Gros lui demande ce qu'elle a encore comme places et apprend qu'il ne reste plus que quelques fauteuils d'orchestre, des places de côté au premier ou au second balcon, ou bien des places à la galerie supérieure. Elle préfère rester chez elle plutôt que d'aller là-haut, au «poulailler». Elle refuse aussi des places de côté, d'où l'on voit à peine la scène, et prend donc trois fauteuils d'orchestre.

b) *Le soir, M. et Mme Gros et Mme Neveu entrent à la Comédie-Française.* Une ouvreuse leur demande leurs billets, les invite à la suivre et leur indique leurs places. M. Gros la remercie et veut lui donner un pourboire, mais elle refuse: les pourboires sont interdits dans les théâtres nationaux.

C'est l'entracte. Les deux femmes discutent de la pièce. Elles trouvent la mise en scène remarquable et le décor magnifique. Elles admirent l'actrice qui joue le rôle principal, mais ses partenaires leur semblent moins bons. Mme Gros demande son avis à M. Gros. Il répond seulement qu'il est content que les dames passent une bonne soirée. Sa femme lui dit qu'il a l'air fatigué.

A la fin de la tragédie, on assiste à la mort de l'héroïne. Pleine d'admiration pour le jeu de l'actrice, Mme Gros s'adresse à son mari et lui demande quelle est son impression. *Pas de réponse: M. Gros dort ...* Mme Gros le réveille et lui demande s'il n'a pas honte de s'endormir à la Comédie-Française. Puis elle se tourne vers son amie qui, elle, partage tout à fait son admiration.

Vocabulaire

un homme d'affaires	qn qui s'occupe de commerce et de finances
avoir l'intention *f* de faire qc	vouloir faire qc
plutôt que	de préférence à
refuser	dire non
faire relâche *f*	pour un théâtre: être fermé
la Comédie-Française	un théâtre national où l'on joue le répertoire classique
Jean Racine	un auteur de tragédies (1639–1699)
Il n'est pas très enthousiaste.	Il n'est pas très content, pas très intéressé.
se réjouir de faire qc	être heureux de faire qc
adorer	aimer beaucoup
la location	verbe «louer» = réserver
l'orchestre *m*	la partie d'une salle de spectacle située au rez-de-chaussée, près de la scène
la galerie supérieure	les places qui se trouvent tout en haut d'un théâtre et qui sont les moins chères
le poulailler	*ici:* la galerie supérieure
à peine	ne ... presque pas
la mise en scène	l'organisation artistique d'une pièce de théâtre, d'un film ou d'un opéra; p. ex.: place et jeu des acteurs
remarquable	très bon
un décor	l'ensemble des objets qui se trouvent sur la scène
magnifique	très beau
admirer qn	trouver qn très bon
le rôle principal	le rôle le plus important
un(e) partenaire	qn qui joue dans la même pièce, le même film, etc.
sembler	paraître

assister à qc	être là et regarder qc
l'héroïne *f* (*m:* le héros)	le personnage principal féminin d'une pièce de théâtre
l'admiration *f*	→ admirer
la honte	le sentiment qu'on a quand on pense qu'on a fait une faute
partager un sentiment	avoir le même sentiment que qn d'autre
tout à fait	totalement, complètement

3. Inventer des dialogues

a) A l'Opéra

Sylvie Leduc invite sa correspondante étrangère à l'Opéra.

un opéra, l'Opéra de Paris / de Berlin; l'ouverture *f*; un air d'opéra (un morceau de musique écrit pour une seule voix accompagnée par l'orchestre); un duo; composer un opéra (écrire un opéra); le compositeur (celui qui écrit, compose de la musique); le programme; la première; la distribution (l'ensemble des personnes qui chantent un opéra); un chanteur d'opéra; une cantatrice (une chanteuse d'opéra ou de chant classique); le soprano; le contralto (la plus grave des voix de femme); le ténor; le baryton; la basse; le chœur (groupe de chanteurs qui chantent ensemble); un ballet; un décor; applaudir qn; les applaudissements *m;* être (très / assez / ...) musicien,-enne (aimer et comprendre la musique) ≠ ne rien comprendre à la musique; avoir une belle voix; chanter juste ≠ chanter faux

b) Aller au concert

Nicole Parmentier et Bernard Rizet, deux Parisiens, parlent de ce qu'ils vont faire le lendemain soir. Nicole aimerait aller au concert à la Salle Pleyel. Un pianiste célèbre y jouera un concerto de Chopin.

la musique ancienne / classique / romantique / moderne; la musique instrumentale / vocale; la musique de chambre (de la musique pour un petit nombre d'instruments); un morceau de musique; une symphonie; un concerto pour piano / pour violon; un récital de piano (un concert donné par un pianiste seul);

88

un(e) musicien,-enne (une personne dont le métier est de composer ou jouer de la musique); un(e) soliste; un virtuose; un pianiste; un violoniste; le chef d'orchestre; les instruments à cordes (p. ex. les violons et violoncelles) / à vent (p. ex. les clarinettes et les trompettes) / à percussion (instruments dont on joue en les frappant); faire de la musique; jouer d'un instrument (p. ex. du piano / de la flûte); jouer du Bach [bak] / du Bartok; donner un concert; diriger un orchestre

c) Au music-hall

Un groupe de jeunes gens va à l'Olympia, le music-hall parisien le plus connu, pour écouter une vedette de la chanson.

la musique de variétés (musique légère); la musique pop / la pop; le rock; le folk; le disco; la chanson; les paroles / la musique d'une chanson; un air / une chanson à la mode; un tube (chanson à succès); un chanteur / une chanteuse de variétés
s'accompagner à la guitare; avoir du succès; la salle est comble (la salle est pleine de monde); applaudir qn ≠ siffler qn

4. Expressions et locutions

aller au cinéma / au théâtre / à l'Opéra
qu'est-ce qu'on joue ce soir / cette semaine? qu'est-ce qu'il y au programme?
est-ce qu'il y a quelque chose d'intéressant au cinéma?
le cinéma / le spectacle est permanent
passer un film / un court métrage
faire de la publicité / de la pub *fam*
retenir / louer / réserver une place au théâtre / à l'Opéra
aller chercher les billets une heure avant la représentation
deux places, s'il vous plaît; donnez-moi deux places à 38 F / trois fauteuils
    d'orchestre
le cinéma / le théâtre est complet; c'est complet
la Comédie-Française / l'Opéra fait relâche
le rideau se lève ≠ le rideau tombe; lever le rideau ≠ baisser le rideau
jouer / tenir le rôle principal
la scène se passe à Paris / en Espagne
applaudir un acteur / un chanteur / une vedette

10. LES SPORTS

Un match de rugby

Un match de basket

Le ski alpin

Un assaut d'escrime

La planche à voile

Le Tour de France

Une course de haies

1. Etude d'un dialogue

Un champion de cent mètres

Personnages: YVES, lycéen de dix-sept ans;
JOCELYNE, la jeune fille avec qui il sort;
M. COSTE, professeur d'E.P.S. au lycée où
YVES est élève.

La scène se passe au mois de mai dans un stade de Clermont-Ferrand. C'est le jour où les meilleurs sportifs des écoles sont venus participer aux championnats d'académie.

M. COSTE *(Il va vers Yves qui est en train de parler avec Jocelyne.)*: Le cent mètres est dans vingt minutes. Je crois que tu devrais commencer à t'échauffer un peu.

YVES: Oui, tout de suite. Je vous présente Jocelyne, une copine.

JOCELYNE: Bonjour, monsieur.

M. COSTE: Bonjour, mademoiselle. Vous êtes venue le voir gagner?

YVES: Il ne faut jamais parler de victoire avant la course.

M. COSTE: Tu sais bien que tu es en grande forme en ce moment. Allez, va t'échauffer. Tu auras bien le temps de causer avec ta copine après.

JOCELYNE: A tout à l'heure! Et bonne chance!

(Yves se met à courir lentement.)

JOCELYNE *(à M. Coste)*: Vous croyez qu'il a une chance de gagner?

M. COSTE: Certainement. Je ne crois pas qu'il y ait ici des garçons aussi forts que lui.

JOCELYNE: Est-ce qu'il y a d'autres élèves du lycée qui participent à ces championnats?

M. COSTE: Nous avons juste une équipe de quatre fois cent mètres et un élève qui fait du saut en hauteur. Il y a d'autres garçons qui sont assez forts, mais ils n'ont pas eu le temps de s'entraîner parce qu'ils ont trop de travail au lycée. Ils n'ont pas envie de redoubler leur classe.

JOCELYNE: Et Yves? Vous pensez qu'il passera dans la classe supérieure?

M. COSTE: Je n'en suis pas sûr du tout. Les collègues disent que ses notes ont beaucoup baissé depuis quelque temps.

JOCELYNE: Ce n'est pas étonnant. Il s'entraîne comme s'il voulait participer aux prochains Jeux olympiques. Dans son club, ils l'obligent à faire des compétitions tous les week-ends. Il est tout le temps sur les stades.

M. COSTE: Je crois qu'il s'entraîne trop. Il ne faudrait pas qu'il se surmène.

(Le moment de la course est venu. Yves a pris un bon départ et gagne.)

M. COSTE *(Il va vers lui.)*: Bravo! Je te félicite. Te voilà champion d'académie! Cette fois-ci, ton départ a été excellent.

(On annonce les temps: Yves a couru son cent mètres en onze secondes deux dixièmes.)

JOCELYNE: Tu as déjà fait mieux cette année.

M. COSTE: Il n'a pas battu son record, mais ce n'est pas mal quand même. *(Yves a remis son survêtement.)* Ecoute, j'ai quelque chose à te dire. *(Yves s'assied sur un banc avec Jocelyne et M. Coste.)* Je suis très content que tu sois champion d'académie, et je suis fier de toi. Pourtant, je crois qu'il vaudrait mieux que tu fasses moins de compétitions.

YVES: Moins de compétitions? Pourquoi?

M. COSTE: Tu ne veux quand même pas quitter le lycée sans le bac? Tu sais bien que tes notes ont beaucoup baissé ces derniers mois … Qu'est-ce que tu veux faire plus tard?

YVES: J'aimerais être prof d'E.P.S.

M. COSTE: Tu sais qu'il faut avoir le bac pour être professeur d'E.P.S.

YVES: Oui, je sais.

M. COSTE: Et il ne suffit pas d'être fort en athlétisme, il faut pratiquer un peu tous les sports.

YVES: Je suis assez fort en sports collectifs. Je suis dans l'équipe de hand-ball du lycée, et je ne joue pas trop mal au football et au basket.

JOCELYNE: Oui, mais tu n'as pas fait beaucoup de gymnastique aux agrès …

M. COSTE: … ni de natation!

YVES *(Il réfléchit un instant.)*: C'est vrai … Dites donc, vous n'auriez pas pu choisir un autre jour pour me dire tout ça?

JOCELYNE: Je trouve que M. Coste a raison. Ecoute, tu pourrais faire du sport pour t'amuser; avec toutes tes compétitions, tu n'as plus le temps de rien faire.

YVES: Tu trouves qu'on ne sort pas assez?

M. COSTE *(Il s'adresse à un autre élève qui se trouve un peu plus loin.)*: Eh, Jacques! Appelle les autres. Le quatre fois cent mètres est dans une demi-heure. *(Puis il s'adresse à Jocelyne:)* Vous lui rappellerez de temps en temps cette petite conversation?

JOCELYNE: Vous pouvez compter sur moi.

M. COSTE: Tu ne m'en veux pas trop, Yves? Allez, je te paie un pot ce soir.

Vocabulaire

un(e) champion,-onne	qn qui est le meilleur de son club, d'un pays, etc. dans une discipline
physique	qui concerne le corps
l'E.P.S. [lepeεs] f	= l'éducation physique et sportive
participer à qc	prendre part à qc
un championnat	une rencontre sportive officielle (Celui qui gagne est champion de sa discipline.)
une académie	toutes les écoles et les universités d'une région
s'échauffer	courir lentement, avant le départ
une victoire	le fait de gagner
une course	→ courir
causer	*ici:* parler, discuter
certainement	sûrement
le saut [so]	l'action de sauter
la hauteur	→ haut,e
redoubler une classe	rester deux ans dans la même classe
la classe supérieure	la classe qui suit
baisser	*ici:* devenir moins bon
étonnant,e	qui surprend
obliger qn à faire qc	dire à qn qu'il doit absolument faire qc
une compétition	un match, une course, p. ex.
se surmener	s'entraîner trop ou travailler trop
féliciter qn	adresser à qn des compliments pour ce qu'il a fait
excellent,e [εksεlᾶ,-ᾶt]	très bon
annoncer qc	dire qc pour que tout le monde le sache
un survêtement	un ensemble blouson-pantalon pour le sport
être fier,-ère [fiεr] de qn	être très content de qn
il vaudrait mieux que	il serait préférable que
l'athlétisme m	les courses à pied, les lancers et les sauts
pratiquer un sport	(Il *pratique* le football: il fait régulièrement du football.)
les sports collectifs	les sports d'équipe
les agrès m, plur	des appareils qu'on emploie pour différents exercices de gymnastique (ex.: les barres parallèles, la barre fixe)
ni de ...	*ici:* et pas beaucoup de ...
la natation	l'action de nager
payer un pot [po] à qn *fam*	payer à boire à qn, au café

2. Transformer ce texte en dialogue

Il faut faire du sport!

M. Mallet, professeur de français dans un collège de Grenoble, a demandé à Mme Grandval, la mère d'une de ses élèves de troisième, de venir le voir.

a) M. Mallet fait entrer Mme Grandval au parloir. Il lui explique la raison de ce rendez-vous: une baisse régulière des notes de Catherine depuis quelque temps. Mme Grandval ne peut lui donner aucune explication à ce sujet: sa fille travaille beaucoup pour le collège, elle ne sort jamais. M. Mallet trouve que Catherine a bien mauvaise mine: elle est peut-être surmenée. Mme Grandval, étonnée, demande conseil au professeur. Celui-ci répond que Catherine devrait travailler moins pour le collège et faire un peu de sport pour se détendre. Il recommande du ski en hiver, et de la natation en été, puisqu'il apprend que Catherine sait nager. Il propose ces deux sports, car il les pratique lui-même. Pour Mme Grandval, les cours d'E.P.S. du collège devraient suffire, mais M. Mallet n'est pas de cet avis.

b) *Les élèves sortent des classes; c'est la récréation. M. Mallet va chercher Catherine, une jeune fille de quinze ans.*
Il lui explique en quelques mots ce qu'il vient de dire à sa mère. Catherine est d'accord, mais elle préférerait le «volley» au ski et à la natation. M. Mallet lui conseille d'aller à l'entraînement du mercredi au collège. Quand Mme Grandval entend parler d'aller à l'entraînement, elle craint que ce soit encore plus fatigant que le travail scolaire. Mais M. Mallet la rassure: sa fille jouerait au volley-ball pour s'amuser, et non pas pour être dans l'équipe du collège. Catherine, elle, ne s'intéresse pas aux compétitions. Elle pense au survêtement dont elle a envie depuis longtemps.
Sa mère veut bien lui en acheter un, mais elle se demande vraiment si le sport va améliorer les notes de sa fille. M. Mallet est optimiste. Il propose à Mme Grandval un autre rendez-vous à la fin du trimestre. Celle-ci accepte, le remercie et quitte le parloir avec sa fille.

Vocabulaire

le parloir	une salle où l'on reçoit les visiteurs dans une école
la baisse de qc	le fait que qc baisse
avoir mauvaise mine	paraître fatigué, malade
étonné,e	surpris
demander conseil *m* à qn	demander à qn de nous dire ce qu'on doit faire
se détendre	avoir une activité autre que le travail, pour se sentir mieux ensuite
recommander qc à qn	dire à qn qu'une chose est bonne ou utile
puisque	comme, parce que
suffire	être assez
le volley *fam*	le volley-ball
conseiller à qn de faire qc	recommander à qn de faire qc
rassurer qn	faire ce qu'il faut pour que qn ne soit plus inquiet
améliorer qc	rendre qc meilleur
accepter	dire oui

3. Inventer des dialogues

a) Un mauvais bulletin scolaire

M. et Mme Tessier reçoivent le bulletin de leur fils; il devra redoubler sa classe. Son père pense qu'il n'a pas assez travaillé parce qu'il a fait trop de sport (sports collectifs et athlétisme). Il parle de lui interdire tout cela. Mme Tessier n'est pas sûre que ce soit une bonne chose.

le bulletin (une feuille sur laquelle sont inscrites les notes d'un élève); faire du saut en longueur / du lancer de poids (le poids *ici:* une masse métallique ronde que lancent les athlètes) / du lancer de disque; faire du football / *fam:* du foot

b) Où aller cet après-midi: à la piscine ou au stade?

Conversation entre des garçons dont vous indiquerez le nombre, l'âge et le nom. L'un d'eux ne sait pas nager.

la piscine (un endroit fait spécialement pour se baigner); se baigner; le maillot de bain; le bassin (l'endroit de la piscine où l'on se baigne); le grand / le petit bassin; plonger; le plongeoir (une planche d'où l'on saute ou plonge dans l'eau); apprendre à nager; avoir pied; s'amuser dans l'eau; jouer au ballon; nager sous l'eau; faire un cinquante mètres; prendre un bain de soleil / se faire bronzer; attraper un coup de soleil (devenir tout rouge après être resté trop longtemps au soleil)

4. Expressions et locutions

faire du sport; pratiquer un sport; être sportif
faire de l'athlétisme (faire de la course / du saut / du lancer) / du volley-ball / du
   ski / de la natation / de la gymnastique aux agrès
savoir nager / skier / jouer au volley-ball
aller à la piscine / au stade
jouer au football / au handball / au basket-ball
être dans une équipe de 4 × 100 mètres («quatre fois cent mètres»); participer
   au relais 4 × 100 mètres
faire un match de football
notre équipe a gagné 1 : 0 / a perdu 1 : 0 [«un (à) zéro»]
être fort en athlétisme / en natation / en sports collectifs
s'entraîner au 100 mètres / au saut en longueur / au volley-ball
faire de la compétition
participer à un championnat
être champion d'académie / de France du 100 mètres
prendre le départ; prendre un bon départ
courir un 100 mètres en 11,2 secondes / en 11,2 («onze deux»)
battre un record; établir un nouveau record

11. WEEK-END ET VACANCES

Un pique-nique en forêt

Une randonnée en Auvergne

La plage de Sète

1. Etude d'un dialogue

Que faire le dimanche?

Personnages: M. et Mme Vivier;

LEURS ENFANTS: Valérie, âgée de douze ans, Gérard, âgé de dix ans.

La scène se passe un samedi vers six heures du soir chez les Vivier qui habitent à Saint-Denis, dans la banlieue nord de Paris.

Valérie: Dis, papa, tu nous avais promis de nous emmener dans la forêt de Fontainebleau. Il fait beau, on pourrait y aller demain.

Gérard: Oh oui! On pourrait grimper dans les rochers.

M. Vivier: Hum! je ne sais pas si . . .

Valérie: Et puis, on pourrait peut-être cueillir des champignons . . . Papa, je suis sûre qu'il y aura encore du soleil demain.

Mme Vivier: Oui, la météo dit que le temps restera stable.

M. Vivier: La météo, la météo! Il ne faut pas trop s'y fier. Quand elle prévoit du soleil, vous pouvez être sûrs qu'il fera mauvais.

Mme Vivier: Tu exagères un peu.

M. Vivier: Je me rappelle très bien le dimanche où nous avions voulu aller en Normandie. La veille, la météo avait annoncé un temps splendide. Et le dimanche, il a plu toute la journée, et il a fait un froid de canard.

Mme Vivier: J'ai bien l'impression que tu n'as pas du tout envie de sortir demain . . . Tiens, tiens! Qu'est-ce qu'il y a de si intéressant à la télévision?

Valérie: Il y a peut-être un match de football.

M. Vivier: Non, il ne s'agit pas de ça. Ce qui m'ennuie, c'est que j'ai complètement oublié de m'occuper de la voiture. Je ne peux plus rouler sur l'autoroute avec mes vieux pneus.

Mme Vivier: Tu n'auras qu'à rouler lentement. Tu sais, le dimanche, on ne peut pas rouler très vite sur l'autoroute du Sud.

M. Vivier: Raison de plus pour ne pas aller à Fontainebleau. Je ne connais rien de pire que la rentrée du dimanche . . . Mais il n'y a pas que les pneus. Il faut que je fasse faire une vidange. En plus de ça, je n'ai presque plus d'essence, et puis tu sais bien que j'ai du mal à démarrer. Je vais certainement rester en panne quelque part.

MME VIVIER: Il y a une semaine que tu me le dis. La voiture tiendra bien encore jusqu'à demain soir . . . Ecoute. Si tu n'as pas envie d'aller au garage, j'y vais. Je ferai faire la vidange et le plein, et je leur demanderai s'ils peuvent faire la réparation lundi.

GÉRARD: Allez, papa! Il y a longtemps qu'on n'a pas été en forêt.

VALÉRIE: On n'a pas encore pique-niqué une seule fois cette année. Maman, tu veux bien qu'on pique-nique?

M. VIVIER: C'est très amusant, les pique-niques dans la forêt de Fontainebleau. Il y a des Parisiens partout.

MME VIVIER: On trouvera quand même bien un petit coin tranquille.

M. VIVIER: Un coin tranquille? Tu parles! Il y aura plus de Parisiens que d'arbres. Dès qu'il y a un rayon de soleil, ils vont tous à la campagne.

MME VIVIER: Tu voudrais peut-être qu'ils restent tous enfermés le dimanche?
(M. Vivier ne dit rien.)
Regarde les gosses. Valérie et Gérard ont besoin de prendre l'air.
(Toujours pas de réponse.)
Dis donc, j'ai l'impression que ta femme et tes enfants t'intéressent de moins en moins!

VALÉRIE: Pourquoi est-ce que tu ne veux pas sortir, papa?

GÉRARD: Tu ne veux jamais rien faire.

M. VIVIER: Eh bien, écoutez. Puisque vous le voulez absolument, on ira à Fontainebleau dimanche prochain, c'est promis.
(Mme Vivier et les enfants se regardent, étonnés.)

MME VIVIER: Et tu espères qu'il pleuvra dimanche prochain, n'est-ce pas?

Vocabulaire

âgé,e de douze ans	qui a douze ans
Fontainebleau	une ville située à 60 km au sud de Paris
grimper	monter à l'aide des mains et des pieds
un rocher	une très grosse pierre
cueillir [kœjir]	prendre un fruit sur l'arbre ou un champignon dans la forêt, p. ex.
stable	qui ne change pas

se fier à qc	compter sur qc
exagérer	parler d'une chose et la présenter comme plus importante qu'elle est en réalité
se rappeller qc	se souvenir de qc
la veille	le jour d'avant
annoncer qc	dire qc pour que tout le monde le sache
splendide	très beau, formidable
Il fait un froid de canard. *fam*	Il fait très froid.
qc ennuie qn	qc embête qn
un pneu	(Une voiture roule sur des *pneus* de caoutchouc.)
rien de pire	rien de plus mauvais, de plus difficile
la rentrée	l'action de rentrer à la maison
faire une vidange	changer l'huile d'une voiture
l'essence *f*	ce que l'on prend dans une station-service
avoir du mal à faire qc	avoir de la difficulté à faire qc
démarrer	mettre le moteur en marche et partir
certainement	sûrement
quelque part	à un endroit
une réparation	le fait de réparer qc
un coin	un endroit
tranquille	calme, où il y a peu de monde
dès que	à partir du moment où
un rayon de soleil	une ligne de lumière qui vient du soleil
la campagne	les villages, les champs et les forêts
rester enfermé,e	rester à la maison, ne pas sortir
un(e) gosse *fam*	un(e) enfant
prendre l'air	sortir, aller se promener à l'air pur
de moins en moins [dəmwɛ̃zãmwɛ̃]	chaque jour un peu moins
puisque	comme, parce que
étonné,e	surpris

2. Terminer ce dialogue

Méditerranée ou Massif central?

Personnages: M. et Mme GRASSET, un jeune couple qui habite Lille;
                UN PAYSAN.

La scène se passe le premier août dans un village du Massif central au sud de S'-Flour. Les Grasset, qui vont en vacances dans le Midi, ont eu un accident de voiture. La réparation ne sera terminée que le lendemain. Ils sont entrés en conversation avec un paysan du village à qui ils ont raconté leur accident.

M. GRASSET: Nous avions l'intention de camper à Sète pendant tout le mois d'août. Mais je me demande si nous aurons encore assez d'argent quand nous aurons payé la réparation.

LE PAYSAN: Il y a encore un bon bout de chemin jusqu'à Sète.

MME GRASSET: J'ai peur rien qu'à l'idée de remonter en voiture.

M. GRASSET: Mais non. Tu oublieras vite l'accident.

LE PAYSAN: Il y a beaucoup de monde sur les routes.

M. GRASSET: Oui, c'est le grand départ en vacances ... Est-ce que vous savez où nous pourrions camper cette nuit?

LE PAYSAN: Vous pouvez vous installer dans un de mes prés. Vous aurez une belle vue sur le lac.

MME GRASSET: Vous êtes vraiment trop gentil, monsieur.

LE PAYSAN: Vous connaissez les lacs de la Truyère?

M. GRASSET: Nous en avons vu juste un en passant. Vous habitez un beau pays.

LE PAYSAN: Vous ne voulez pas rester une semaine par ici?

MME GRASSET: Oh! c'est une bonne idée, Christian.

M. GRASSET: Je ne sais pas ...

LE PAYSAN: Je suis même sûr qu'au bout d'une semaine, vous ne voudrez plus partir du tout!

Pourra-t-il, avec l'aide de Mme Grasset, convaincre M. Grasset de rester dans le Massif central plutôt que d'aller sur la côte?

Ce dont pourrait parler M. Grasset: le climat du Massif central (froid, pluie); la mer (les plages de sable et les bains); les distractions (restaurants, cinémas, bars de Sète); la pêche dans les lacs?

Ce dont pourraient parler le paysan et Mme Grasset: le beau temps de l'année dernière; les lacs (leur eau est chaude; on peut s'y baigner); la beauté de la région (montagnes, lacs, rochers et forêts); le calme de la région; les cueillettes dans le Massif central (champignons, framboises et myrtilles); les poissons des lacs; les prix dans le village comparés aux prix de la côte (fruits, repas au restaurant, vin); les pique-niques

Vocabulaire:

un couple	un homme et une femme
Saint-Flour	une ville d'Auvergne située au sud de Clermont-Ferrand
avoir l'intention *f* de faire qc	vouloir faire qc
camper	faire du camping
Sète	une ville de la côte méditerranéenne
un bon bout de chemin *fam*	un long chemin, une distance importante
un pré	une petite prairie
la Truyère [trҷijɛr]	une rivière d'Auvergne qui forme plusieurs lacs
juste un	seulement un
en passant	quand nous sommes passés
par ici	dans la région
convaincre qn de faire qc	amener qn à faire ou à penser qc
plutôt que de	au lieu de
le sable	(Une plage est, en général, couverte de *sable*.)
une distraction	qc qui amuse, fait passer le temps agréablement
la cueillette [kœjɛt]	l'action de cueillir qc
une framboise	un petit fruit rouge
une myrtille	un petit fruit de couleur bleu foncé

3. Inventer des dialogues

a) Faire de l'auto-stop

Deux jeunes gens veulent aller sur la côte d'Azur en auto-stop. Près de Lyon, une voiture s'arrête. Le conducteur, un Parisien, les emmènera jusqu'à St-Raphaël. Ils parlent avec lui des vacances sur la côte d'Azur. Les trois personnes connaissent déjà cette région.

un auto-stoppeur, une auto-stoppeuse
est-ce que vous allez en direction de . . .? vous pourriez me prendre / m'emmener jusqu'à . . .? mettre les bagages dans le coffre

b) A la station-service

une station-service; le pompiste (la personne qui sert les automobilistes dans une station-service); l'essence *f* ordinaire, *fam*: l'ordinaire *f*; le super [sypɛr]; l'essence sans plomb; le super sans plomb; l'huile *f*; le gas-oil ou gazole; une carte routière
vous pourriez mettre un demi-litre d'huile, s'il vous plaît? vous pourriez vérifier la pression des pneus? (vérifier la pression des pneus: regarder si les pneus sont suffisamment remplis d'air) – vous en mettez combien? – 1,6 [ɛ̃sis] partout / 1,4 à l'avant, 1,6 à l'arrière; nettoyer les vitres (les glaces)

4. Expressions et locutions

aller / partir en vacances
sortir le dimanche / quand il fait beau
aller en Italie / en Bretagne / sur la côte d'Azur / dans le Midi / à Munich / à
 Paris
venir d'Italie / de Bretagne / de la Côte (= de la côte d'Azur) / du Midi / de
 Paris

faire de l'auto-stop

faire un voyage / une promenade / une promenade à pied / en voiture

camper sur la côte / au bord d'un lac; faire du camping

visiter une région / une ville / un château

avoir une belle vue sur ...

grimper dans les rochers

trouver un coin tranquille

quel temps fait-il? – il fait beau (temps); il fait un temps splendide ≠ il fait
   mauvais (temps) / un temps affreux / un temps de chien *fam*
   il fait doux ≠ il fait frais; il fait chaud ≠ il fait froid
   il fait un froid de canard *fam*; il fait lourd; il fait (du) soleil / du vent; il y a du
   brouillard

la météo prévoit du soleil / un temps stable ≠ un temps variable

faire le plein; faire le plein en ordinaire / en super; le plein en ordinaire / en
   super, s'il vous plaît!

je voudrais pour cent francs de super, s'il vous plaît

faire une vidange

vérifier l'huile / la batterie / la pression des pneus

tomber / être / rester en panne

j'ai du mal à démarrer

12. CHEZ LE MÉDECIN

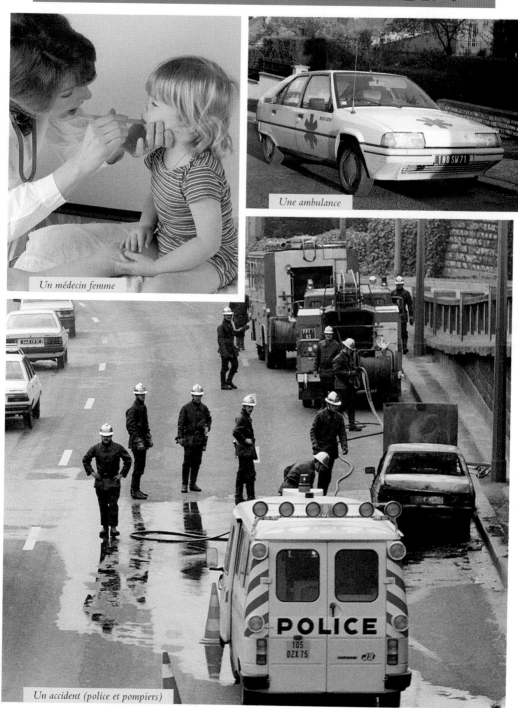

Un médecin femme

Une ambulance

Un accident (police et pompiers)

1. Etude d'un dialogue

Martine ne mange plus.

Personnages: Mme Bonneau;

                  Sa fille Martine, âgée de seize ans;

                  Leur médecin de famille;

                  Son assistante.

La scène se passe chez le médecin. Mme Bonneau vient de sonner, l'assistante ouvre la porte.

Mme Bonneau: Bonjour, mademoiselle. Je voudrais voir le docteur, c'est pour ma fille. Je n'ai pas de rendez-vous. Est-ce que le docteur pourrait nous prendre quand même?

L'assistante: En principe, les consultations sont sur rendez-vous, mais il y a une cliente qui n'est pas venue. Je vais voir si je peux vous faire passer à sa place ... Votre nom, mademoiselle?

Martine: Bonneau. Martine Bonneau.

L'assistante *(Elle disparaît, puis revient quelques instants plus tard.)*: Le docteur sera à vous dans un moment. Veuillez entrer dans la salle d'attente, s'il vous plaît. *(Un quart d'heure plus tard, l'assistante revient.)* Mademoiselle Bonneau, c'est à vous.

(Martine et sa mère entrent dans le cabinet de consultation.)

Mme Bonneau: Bonjour, docteur.

Le docteur: Bonjour, madame; bonjour, mademoiselle. Asseyez-vous, je vous prie ... Eh bien, c'est à quel sujet?

Mme Bonneau: Voilà, docteur: ma fille ne mange plus. Rien du tout le matin, et presque rien à midi et le soir. Je n'arrête pas de lui dire de manger, mais elle ne m'écoute pas.

Le docteur: Evidement, c'est ennuyeux ... Quel âge avez-vous, mademoiselle?

Martine: J'ai seize ans.

Le docteur: Vous avez beaucoup maigri?

Mme Bonneau: De cinq kilos en trois mois, docteur.

Le docteur: Est-ce que vous avez mal quelque part?

Mme Bonneau: Elle se plaint souvent d'avoir mal à la tête.

MARTINE: Mais laisse-moi répondre, maman! ... Oui, quelquefois, j'ai mal à la tête.

MME BONNEAU: Vous voyez, docteur, sur quel ton elle me parle. Comment voulez-vous que j'arrive à la faire manger!

LE DOCTEUR: Hum ... *(A Martine:)* Est-ce que vous avez des vertiges, mademoiselle?

MARTINE: Ça m'arrive. L'autre jour, je me suis trouvée mal au lycée, et le professeur m'a envoyée à l'infirmerie.

LE DOCTEUR: Oui ... Vous n'avez mal nulle part ailleurs?

MARTINE: Quelquefois, j'ai mal à l'estomac.

LE DOCTEUR: Bien. Alors, je vais vous examiner. Venez d'abord par ici, s'il vous plaît. *(Il pèse Martine et la mesure.)* En effet, vous pourriez peser un peu plus ... Donnez-moi votre bras. *(Il prend sa tension.)*
Tension un peu faible. *(Il lui tâte le pouls. Puis, après l'avoir auscultée:)* Votre cœur est bon.

MME BONNEAU: Vous me rassurez, docteur.

LE DOCTEUR *(à Mme Bonneau):* Vous êtes à la Sécurité Sociale, n'est-ce pas?

MME BONNEAU: Oui, docteur.

LE DOCTEUR *(Il écrit, puis donne deux feuilles à Martine.):* Voilà votre feuille de soins et une ordonnance. Vous prendrez une ampoule d'Ascorbamine matin et soir.

MARTINE: Oui, docteur.

LE DOCTEUR: Ah! je vous ai fait une autre ordonnance. Elle n'est pas pour la pharmacie, mais je veux absolument que vous en teniez compte! *(Il lui donne une troisième feuille.)*

MARTINE *(Elle lit.):* «Deux tartines de beurre tous les matins.» Ah bon ...

MME BONNEAU *(à Martine):* Tu vois bien ce que je te disais!

LE DOCTEUR *(à Martine):* N'attendez surtout pas que votre mère vous le dise. Je compte sur vous.

MARTINE: Je ferai de mon mieux.

MME BONNEAU: Combien je vous dois, docteur?

LE DOCTEUR: C'est 80 F. *(Mme Bonneau lui donne l'argent.)* Merci, madame. Revenez dans un mois, mademoiselle. Vous pouvez venir seule, vous savez, ce n'est pas la peine que votre mère se dérange.

MARTINE *(Elle se lève.):* C'est ce que je lui ai déjà dit aujourd'hui, mais elle ne me laisse jamais rien faire toute seule ... Au revoir, docteur.

LE DOCTEUR: Au revoir, mademoiselle. Au revoir, madame.

MME BONNEAU: Au revoir, docteur.

Vocabulaire

âgé, e de seize ans	qui a seize ans
une consultation	le fait, pour un médecin, de recevoir un malade et de s'occuper de lui
un instant	un très petit moment
Le docteur sera à vous dans un moment.	Le docteur s'occupera de vous dans un moment.
le cabinet de consultation	la pièce où le médecin s'occupe des malades
C'est à quel sujet?	Qu'est-ce qui vous amène?
C'est ennuyeux.	*ici:* C'est embêtant.
maigre	≠ gros
maigrir	perdre des kilos
quelque part	à un endroit; *ici:* à une partie du corps
avoir un vertige	avoir l'impression que les objets tournent autour de soi
se trouver mal	se sentir très faible pendant un moment
l'infirmerie *f*	l'endroit, dans un lycée ou une caserne, p. ex., où l'on reçoit les malades pour s'occuper d'eux
ne . . . nulle part	≠ quelque part
ailleurs	à un autre endroit
l'estomac *m* [lɛstɔma]	un des organes de la digestion (Lorsqu'on vient de manger, on a *l'estomac* plein.)
examiner un malade	ce que fait le médecin pour voir ce qu'a un malade
mesurer qn	voir si qn fait 1,60 m ou 1,70 m ou 1,80 m
la tension	la pression du sang
tâter qc	toucher qc
le pouls [pu]	le rythme des artères
ausculter qn	examiner qn
le cœur [kœr]	l'organe d'où le sang part et où il revient
rassurer qn	faire ce qu'il faut pour que qn ne soit plus inquiet
la Sécurité Sociale	une organisation de l'Etat Français qui, entre autres, rend aux malades une grande partie de l'argent qu'ils ont donné au médecin et au pharmacien, ou au dentiste
les soins *m, plur*	tout ce que le médecin fait pour le malade
une feuille de soins	une feuille que l'on envoie à la Sécurité Sociale. Le médecin et le pharmacien, ou le dentiste y indiquent ce que le malade a payé.
une ordonnance	une feuille où le médecin note quels médicaments le malade doit prendre, et quand et comment il doit les prendre
une ampoule	un petit tube de verre fermé qui contient un médicament
l'Ascorbamine [laskɔrbamin]	le nom d'un médicament
tenir compte de qc	respecter qc, y faire attention

FEUILLE DE SOINS
assurance maladie

Nº 60-3675

RENSEIGNEMENTS CONCERNANT L'ASSURÉ(E) (1)

NUMÉRO D'IMMATRICULATION

NOM-Prénom
(suivi s'il y a lieu
du nom d'époux)

ADRESSE

CODE POSTAL

SITUATION DE L'ASSURÉ(E) A LA DATE DES SOINS

☐ ACTIVITÉ SALARIÉE ou arrêt de travail

☐ ACTIVITÉ NON SALARIÉE

☐ SANS EMPLOI ► Date de cessation d'activité :

☐ PENSIONNÉ(E)

☐ AUTRE CAS ► lequel :

RENSEIGNEMENTS CONCERNANT LE MALADE (1)

- S'agit-il d'un accident ? ☐ OUI ☐ NON Date de cet accident :
- Si le malade est PENSIONNÉ DE GUERRE
  et si les soins concernent l'affection pour laquelle il est pensionné, cocher cette case ☐

SI LE MALADE N'EST PAS L'ASSURÉ(E)

- NOM
- Prénom   Date de Naissance
- LIEN avec l'assuré(e) : ☐ Conjoint ☐ Enfant ☐ Autre membre de la famille ☐ Personne vivant maritalement avec l'assuré(e)
- Exerce-t-il habituellement une activité professionnelle
  ou est-il titulaire d'une pension ? ☐ OUI ☐ NON

MODE DE REMBOURSEMENT (1)

☐ VIREMENT A UN COMPTE POSTAL, BANCAIRE OU DE CAISSE D'ÉPARGNE
Lors de la **première** demande de remboursement par virement à un compte postal, bancaire, ou de caisse d'épargne ou en cas de **changement de compte**, joindre le **relevé d'identité** correspondant.

☐ Autre mode de paiement

(1) **Mettre une croix dans la case
de la réponse exacte**

**J'atteste, sur l'honneur, l'exactitude
des renseignements portés ci-dessus.**

"LA LOI REND PASSIBLE D'AMENDE ET/OU
D'EMPRISONNEMENT QUICONQUE SE REND COUPABLE
DE FRAUDES OU DE FAUSSES DÉCLARATIONS
(articles L 377-1 du Code de la Sécurité Sociale,
1047 du Code Rural, 150 du Code Pénal)."

**Signature
de l'assuré(e) ►**

s 3110 c

fabrègue, saint-yrieix - limoges - 2-86

une tartine de beurre	un morceau de pain, avec du beurre
faire de son mieux	faire tout ce qu'on peut
ce n'est pas la peine que	il n'est pas nécessaire que
(+ *subjonctif*)	
se déranger	venir spécialement

2. Transformer ce texte en dialogue

M. Jeannot mange trop.

a) M. Jeannot téléphone au cabinet du docteur Clavel pour savoir à quelle heure sont les consultations. L'assistante lui répond que le docteur reçoit les clients l'après-midi, mais seulement sur rendez-vous. M. Jeannot demande un rendez-vous. L'assistante lui propose le mercredi de la semaine suivante, à dix-sept heures. Il accepte.

b) *Le mercredi, M. Jeannot reste quelques minutes dans la salle d'attente,* puis entre dans le cabinet de consultation. Le docteur lui serre la main, le prie de s'asseoir, et lui demande la raison de ce rendez-vous. M. Jeannot se plaint de fatigue, vertiges et maux de tête. Le docteur lui demande s'il y a autre chose et apprend que son client est tout de suite essoufflé quand il monte l'escalier, qu'il lui est également arrivé de se trouver mal pendant une discussion peu agréable avec son chef. M. Jeannot demande au docteur de lui faire une ordonnance.

Interrogé par le docteur, il indique son âge, sa taille et son poids: quarante-cinq ans, un mètre soixante-neuf et quatre-vingt-trois kilos. Pour pouvoir être examiné, M. Jeannot doit se déshabiller jusqu'à la ceinture. *Après l'avoir ausculté et lui avoir tâté le pouls,* le docteur prend sa tension.

M. Jeannot voudrait connaître l'avis du docteur. Celui-ci dit qu'il n'est pas en bonne santé: pouls trop rapide, tension trop forte, poids bien trop élevé, asthme. Il doit avouer au docteur qu'il aime bien faire un bon repas de temps en temps, qu'il prend régulièrement l'apéritif avant de manger et fume un paquet de cigarettes par jour. Le docteur s'intéresse à sa profession et ses autres activités: M. Jeannot est employé de bureau et aime bricoler après son travail. Il a une voiture.

c) Le docteur lui ordonne un médicament pour le cœur et lui demande de suivre un régime strict: il doit manger sans sel, renoncer complètement au café, aux apéritifs et au tabac ... M. Jeannot proteste faiblement, mais le docteur n'a pas encore fini: il recommande à son client des repas plus légers avec moins de pain, de la marche à pied et un peu de gymnastique tous les jours.

M. Jeannot ne croit pas pouvoir vivre comme ça. Pour le docteur, c'est au contraire le seul moyen de retrouver la santé. Son client risque de graves accidents dans les années à venir s'il ne tient pas compte de ses conseils. M. Jeannot promet alors de faire de son mieux. Il paie après que le docteur lui a remis l'ordonnance et la feuille de soins, puis il quitte le cabinet de consultation.

Vocabulaire

accepter	dire oui
serrer la main à qn	prendre la main de qn pour dire bonjour
le mal (*plur:* les maux) de tête	le fait d'avoir mal à la tête
être essoufflé,e	(Quand on a couru très vite, on est *essoufflé.*)
la taille	combien qn mesure
le poids	combien qn pèse
se déshabiller	enlever ses vêtements
élevé,e	haut, important
avouer que	reconnaître que
bricoler	faire de petits travaux chez soi, des réparations, p. ex.
suivre un régime	ne manger que des choses qui ne font pas grossir, qui sont bonnes pour la santé
recommander qc à qn	dire à qn qu'une chose est bonne ou utile
un moyen	*ici:* une possibilité, une solution
remettre qc à qn	donner qc à qn

3. Inventer des dialogues

a) Une grippe

Une jeune étangère est en visite chez sa correspondante française. Un jour, elle a mal à la gorge et à la tête; elle a aussi un peu de fièvre. La mère de sa correspondante l'accompagne chez un médecin qui constate qu'elle a la grippe.

la fièvre; tousser (subst. la toux [tu]); le rhume (une maladie peu grave qui fait couler le nez); l'aspirine vitaminée; la vitamine C; un cachet/comprimé d'aspirine (quand on a mal à la tête, on prend un ou deux cachets/comprimés d'aspirine); le sirop [siro] (un médicament contre la toux vendu en bouteilles); les pastilles *f* (un médicament contre le mal de gorge, que l'on doit garder longtemps dans la bouche)
avoir mal à la gorge; avoir mal partout; être enrhumé (avoir le rhume); garder le lit; rester couché,e; j'espère que vous serez bientôt guéri,e (être guéri: ne plus être malade)

b) Un accident de ski

Un garçon fait du ski à La Plagne, dans les Alpes françaises. Un jour, il tombe. On l'amène chez le médecin. Celui-ci constate une fracture de la jambe.

une fracture de la jambe (une jambe cassée); une chute; la jambe enflée (enfler: devenir plus gros); l'os *m*; le plâtre (quand quelqu'un s'est cassé la jambe, le médecin lui met un plâtre pour rendre la jambe immobile); boiter (marcher mal parce qu'on a une jambe plus courte que l'autre ou parce qu'on a mal à une jambe)
tomber en avant / sur le côté; avoir la jambe cassée; mettre un plâtre ≠ enlever le plâtre; avoir une jambe dans le plâtre; avoir du mal à marcher

4. Expressions et locutions

aller chez le médecin

quelles sont les heures de consultation du docteur?

les consultations sont sur rendez-vous; le docteur ne reçoit que sur rendez-vous

avoir un rendez-vouz chez le médecin; est-ce que je pourrais avoir un rendez-vous pour mercredi? quand est-ce que le docteur pourrait me recevoir?

bonjour, docteur; au revoir, docteur

(ne pas) être en bonne santé

grossir / maigrir de 5 kilos

avoir de la fièvre / de la température; avoir 39 de fièvre

tomber malade; mon père est tombé malade

le docteur examine le malade

prendre la température / la tension de qn

avoir trop de tension ≠ ne pas avoir assez de tension

tâter le pouls à qn

où est-ce que vous avez mal? – j'ai mal à la tête / à l'estomac / aux dents

ma jambe me fait mal; ma jambe me fait très / horriblement mal; je me suis fait mal à la jambe

avoir de l'asthme / des vertiges

se trouver mal

le docteur ordonne un médicament / un régime strict / sévère à qn; le docteur fait une ordonnance à qn

être à la Sécurité Sociale

aller à la pharmacie

prendre un médicament / une ampoule matin et soir

suivre un régime

je vous souhaite un prompt rétablissement

Expressions générales

quand on rencontre qn

bonjour, monsieur / madame / mademoiselle / messieurs / mesdames / mesdemoiselles / messieurs dames

(entre amis:) bonjour

(entre copains:) salut *fam*

comment allez-vous? vous allez bien? – très bien, merci, et vous-même?

comment vas-tu? tu vas bien? – très bien, merci, et toi?

fam: comment ça va? ça va? ça va bien? – ça va, merci, et toi?

(il s'agit de la famille de la personne à qui l'on parle:) comment va madame Dupont? comment va monsieur Dupont? comment vont les enfants?

(on rencontre qn que l'on connaît:) je suis content / très content de vous voir / revoir

bonjour, monsieur / madame / etc., excusez-moi de vous déranger

quand on quitte qn

au revoir, monsieur / madame / etc.

(entre amis:) au revoir

(entre copains:) salut *fam*

au revoir, à samedi / à bientôt / à ce soir / à demain / à tout à l'heure

(il s'agit de la famille de la personne à qui l'on parle:) donnez le bonjour de ma part à madame / monsieur Dupont

excusez-moi, il faut que je parte / que je vous quitte / que je me dépêche
fam: il faut que je me sauve

quand on demande qc

pardon, monsieur / madame / etc., vous pourriez me dire où se trouve la poste?

excusez-moi, je voudrais savoir à quelle heure commence le spectacle / j'aimerais savoir à quelle heure commence le spectacle

je voudrais un kilo de sucre, s'il vous plaît

(on ne sait pas exactement ce que l'on veut:) il me faudrait quelque chose contre la grippe

vous n'auriez pas cinq centimes?

est-ce que je pourrais venir demain?

(on voudrait prendre qc:) vous permettez que je prenne cette chaise? – je vous en
prie; vous permettez? – je vous en prie

quand on prie qn de faire qc

entrez, s'il vous plaît
entrez, je vous prie
vous pourriez revenir demain, s'il vous plaît?
veuillez entrer / monter / payer à la caisse, s.v.p.
si vous voulez bien entrer / monter / payer à la caisse ...

<table>
<tr><td>

quand on remercie qn

merci, monsieur / madame / made-
moiselle / messieurs / mesdames /
mesdemoiselles / messieurs dames
merci beaucoup, monsieur / madame /
etc.
merci pour votre lettre
merci pour votre cadeau, vous êtes
vraiment trop gentil
je vous remercie; je vous remercie
beaucoup / infiniment
je vous remercie de votre invitation /
de votre cadeau

</td><td>

quand on répond à un remerciement

je vous en prie
de rien
il n'y a pas de quoi
merci pour votre aide – je vous en
prie, c'est tout naturel

</td></tr>
<tr><td>

quand on s'excuse

(on croit déranger qn:) pardon; pardon,
monsieur / madame / etc.
(on fait une chose que l'on regrette:) ex-
cusez-moi, monsieur / madame /
etc.

</td><td>

quand on répond à une excuse

je vous en prie
ce n'est rien
il n'y a pas de mal

</td></tr>
</table>

je regrette, je ne peux pas vous dire
  cela / ça
(on a fait qc de très gênant:) je vous de-   mais non, ça ne fait rien
  mande pardon, c'est de ma faute
(on regrette vivement qc:) je suis désolé;
  je suis navré; je suis vraiment désolé / navré

quand on veut rassurer qn

cela / ça ne fait rien
ce n'est pas grave
j'ai oublié mon porte-monnaie – ne t'en fais pas / ne vous en faites pas *fam*, je
  vais payer pour toi / vous
(la personne à qui l'on parle craint une difficulté:) il faut monter cinq étages? –
  rassure-toi / rassurez-vous, il y a un ascenseur

quand on demande son avis à qn

qu'est-ce que tu en penses? qu'est-ce que vous en pensez?
qu'en penses-tu? qu'en pensez-vous?
comment tu trouves cet acteur? *fam* / comment trouvez-vous …
le vin est très bon, tu ne trouves pas / vous ne trouvez pas?
c'est dangereux, tu ne crois pas / vous ne croyez pas?
quel est votre avis? quel est votre avis sur ce problème? quel est votre avis là-
  dessus?

quand on est du même avis que qn	**quand on n'est pas du même avis que qn**
tu as raison; vous avez raison	je ne suis pas de ton / votre avis; je ne
je suis de ton / votre avis; je suis entiè-	suis pas du tout de ton / votre avis
rement / tout à fait de ton / votre	ce n'est pas mon avis
avis	je ne suis pas de cet avis

116

je suis d'accord avec toi / vous; je suis entièrement / tout à fait d'accord avec toi / vous sur ce point

ah non / mais non, vous devez vous tromper!

je ne suis pas d'accord avec toi / vous

quand on accepte

je suis d'accord; d'accord

c'est d'accord, tu peux venir samedi

est-ce que vous pouvez revenir demain? – volontiers

vous prenez un café? – avec plaisir

alors à samedi? – entendu

je vous donne un rendez-vous pour mercredi prochain? – oui, ça ira très bien / oui, très bien

est-ce que la chambre vous convient? – oui, parfaitement / c'est parfait

(on accepte sans trop d'enthousiasme:) tu viens manger au restaurant? – je veux bien, mais il ne faut pas que ce soit trop cher; on mange au restaurant italien ou au restaurant chinois? – c'est comme tu veux / c'est comme vous voulez

quand on refuse

non merci, monsieur / madame / etc.

vous reprenez des légumes? – non merci, vraiment

vous pouvez me prêter ce livre? – je regrette, j'en ai encore besoin

tout le monde prend un apéritif? – non merci, pas moi

quand on est certain

on peut acheter des timbres dans un bureau de tabac? – bien sûr

je suis sûr / certain qu'elle viendra

tu crois qu'elle est chez elle? – j'en suis sûr / certain

je pense que oui / que non

c'est certain; il est certain que . . .

il est hors de doute que . . . / sans au-

quand on n'est pas certain

tu crois / vous croyez? tu crois que / vous croyez que . . .?

je ne sais pas; je ne sais pas si . . .

je ne suis pas sûr / certain qu'il parte demain . . .; je n'en suis pas sûr / certain; je n'en suis pas tout à fait sûr / certain; je n'en suis pas sûr / certain du tout

cun doute, …; ça ne fait aucun doute; il n'y a pas de doute
(on veut dire que qc est exact:) le train part bien à sept heures trente? – c'est ça; c'est exact

je me demande si elle viendra
(on a entendu dire qc:) il paraît que le pain va encore augmenter
je doute qu'il fasse beau demain

quand on hésite

je ne sais pas que/quoi faire
que faire?
je me demande ce que je vais faire / ce que nous allons faire

quand on est content de qc

c'est bien; c'est très bien
ça me plaît
c'est parfait
c'est merveilleux / formidable *fam* / sensationnel / terrible *fam* / chouette *fam* / super *fam*

quand on n'est pas content de qc

zut! *fam* il n'y a plus de place au cinéma
c'est bête, je n'ai pas pu avoir de place
dis donc! tu pourrais faire attention
c'est ennuyeux; *fam:* c'est embêtant

quand on est surpris

ah, c'est toi!
il s'est acheté une voiture – ah oui?
il n'y a pas de père aubergiste ici – ah bon?
tiens, tiens! *fam* Pierre ne sort plus avec Annette
oh là là! quelle pluie!
je ne m'attendais pas à ce que tu viennes si tôt …; je ne m'y attendais pas
(surprise agréable:)
tiens! il fait (du) soleil
quelle surprise! quelle bonne surprise!
(surprise désagréable:)
mais c'est lundi, les magasins sont fermés!
'mon Dieu! déjà midi passé
zut! *fam* j'ai oublié mon parapluie
ça alors! j'ai perdu mes clés de voiture

quand on souhaite qc à qn

bon appétit / anniversaire / voyage / courage!
bonne chance / fête / route!
joyeux Noël! bonne année, bonne santé!
amusez-vous bien!
je vous souhaite bon appétit / bon voyage / bonne route
je vous souhaite une bonne année et une bonne santé

quand on demande à qn la raison de qc

pourquoi est-ce que tu n'es pas venu?
comment se fait-il qu'il ne soit pas là?
    comment cela se fait-il? *fam:* comment ça se fait?
quelle est la raison / la cause de ton retard?
c'est parce que ...?
comment vous expliquez-vous cela?
    fam: comment tu t'expliques ça?
est-ce qu'il y a une explication à cela?

quand on veut expliquer à qn la raison de qc

pourquoi est-ce que tu n'es pas venu?
    – eh bien, j'avais du travail
    tu sais, j'avais du travail
    c'est parce que ...
    c'est à cause de ...
    je n'ai pas pu venir pour toutes sortes de raisons

quand on veut commencer à faire qc

vas-y! allons-y! allez-y!
on y va? *fam* – on y va! *fam*
je suis prêt, allons-y!
je vais commencer à ...
je vais me mettre à ...
    je vais m'y mettre

quand on a fini de faire qc

tu as fini? – oui, ça y est
je n'ai plus rien à faire
tu as posté les lettres? – oui, c'est fait

Crédits—Photos et cartes

Studio Bénédet, Autun: S. 7, 12, 16, 17, 34, 44, 69, 70, 105, 106 – Explorer, Paris: S. 7, 14, 34, 53, 64, 73, 77, 90, 97, 105 – F.U.A.J., Paris: S. 20, 21 – Dr. Rudolf Hilderbrandt, Stuttgart: S. 16, 46, 63 – Neumann/Zörlein, Stuttgart: S. 44 – Rapho, Paris: S. 8, 11, 16, 24, 26, 34, 53, 55, 64, 69, 73, 90, 97, 105 – R.A.T.P., Paris: S. 24, 30, 31 – SOPEXA, Düsseldorf: S. 9.